LIBRE RÉPONSE
À UN SCANDALE

DU MÊME AUTEUR
AUX ÉDITIONS DU CERF

Oser croire en l'Église, coll. « Épiphanie », 1977.

Vivre aujourd'hui la foi de toujours, coll. « Épiphanie », 1979.

Deux mille ans d'Église en question
T. I : Crise de la foi, crise de prêtre, 1984.
T. II : Des martyrs à l'Inquisition, 1990.
T. III : Du schisme d'Occident à Vatican II, 1990.

Les Idées maîtresses de Vatican II, 2ᵉ éd., 1985.
Initiation à l'esprit du Concile.

CHEZ D'AUTRES ÉDITEURS

Victoire sur la mort, Chronique sociale, Lyon, 1962.

L'Existence humaine et l'Amour. Pour mieux comprendre l'encyclique « Humanae Vitae », Desclée, 1969.

Résurrection, eucharistie et genèse de l'homme, Desclée, 1972.

Deux mille ans d'accueil à la vie, Centurion, 1973.

L'au-delà retrouvé, Desclée, 1975.

GUSTAVE MARTELET

Libre réponse à un scandale

La faute originelle, la souffrance et la mort

5e édition

« *Théologies* »

LES ÉDITIONS DU CERF
29, bd Latour-Maubourg, Paris
1992

Avec la permission des Supérieurs

© *Les Éditions du Cerf*, 1986
ISBN 2-204-02488-0
ISSN 0761-4330

Éclaircissements préliminaires

L'accueil fait à cet ouvrage par l'ensemble de ses lecteurs et le prix des Écrivains croyants d'expression française qui lui a été décerné pour l'année 1987 sont sans doute un signe de son opportunité. Nombre de chrétiens et de non-chrétiens ont peine, en effet, à comprendre le contenu d'un dogme qui paraît scandaleux sur plus d'un point, au regard de la culture scientifique actuelle. Certes, le dogme n'a pas à se régler sur la science, pas plus que la science ne peut prétendre éteindre les lumières de la foi. Encore faut-il qu'il n'y ait pas entre les deux une incompatibilité de fait dans les domaines qui leur sont mitoyens. Le cardinal Ratzinger le remarquait à propos des récits bibliques du Jardin, dans un petit ouvrage récemment traduit en français (*Au commencement Dieu créa le ciel et la terre,* Fayard 1986) : « Le récit nous dit : le péché amène le péché, et tous les péchés de l'Histoire se tiennent l'un l'autre. La théologie a trouvé pour cet état de choses un terme qui est certainement inexact et que l'on risque de mal comprendre, celui d'*Erbsünde* (péché héréditaire, traduit en français par " péché originel "). Que peut-on en dire ? » (80-81). Et l'auteur de proposer une vision relationnelle de l'homme, qui jette sur la transmission de ce « péché » la lumière que recèle en ce cas l'interdépendance des hommes. Il est donc clair que le théologien ne peut se contenter de répéter indéfiniment les mêmes formules, sans se soucier d'en préciser le sens pour ses contemporains. Sur une question aussi délicate que celle de la faute originelle, il lui revient, comme n'avait pas manqué de le rappeler Paul VI, lors d'un colloque international tenu à Rome en 1966, de chercher « une définition et une présentation du péché originel qui soient plus modernes, c'est-à-dire qui satisfassent davantage aux exigences de la foi et de la raison, telles qu'elles sont ressenties et exprimées par les hommes de notre temps » (*Documentation catholique*, 1966, 1348). Si ce travail n'est pas fait, le croyant se trouve déchiré entre la culture de son temps et une expression de la foi, entêtée sans raison dans un injustifiable archaïsme. L'expression de la foi se doit ainsi de suivre le développement de la conscience humaine et de faire droit aux susceptibilités légitimes de la raison. En sa vraie profondeur, celle-ci est une lumière qui émane de Dieu et qui en sert humainement la cause. Il revient donc à la théologie d'en prendre une claire conscience et de rétablir sur des points essentiels un accord momentanément compromis entre les données de la foi et des évidences incontestables, acquises par la culture. Loin de s'appauvrir en ce normal échange, l'intelligence de la foi ne peut que gagner une crédibilité de bon aloi, qu'elle n'eût jamais dû perdre. Veiller ainsi à l'intelligibilité culturelle de la révélation, autant qu'il est en nous, c'est, dans le langage de l'Écriture, « rendre raison de l'espérance qui est en nous devant ceux qui en demandent compte » (1 *Pet* 3,15).

Récit des origines et « genres littéraires »

Qui accepte une pareille tâche dans le cas du péché originel ne peut pas oublier, à propos des textes de Genèse 1-3 qui occupent alors le devant de la scène, une doctrine que le dernier concile a faite explicitement sienne dans la Constitution *Dei Verbum*. « Pour découvrir l'intention des hagiographes, on doit entre autres choses, considérer aussi les " genres littéraires ". Car c'est de façon bien différente que la vérité se propose et s'exprime en des textes diversement historiques, en des textes, ou prophétiques, ou poétiques, ou même en d'autres genres d'expression. Il faut, en conséquence, que l'interprète cherche le sens que l'hagiographe, en des circonstances déterminées, dans les conditions de son temps et l'état de sa culture, employant les genres littéraires alors en usage, entendait exprimer et a, de fait, exprimé. En effet, pour découvrir ce que l'auteur sacré a voulu affirmer par écrit, on doit tenir un compte exact soit des manières de sentir, de parler ou de raconter courantes au temps de l'hagiographe, soit de celles qu'on utilisait à cette époque dans les rapports humains ». *Concile œcuménique Vatican II* (Centurion 1966, 135). Déjà présente dans l'Encyclique « Divino afflante Spiritu » de Pie XII en 1943 (*Enchiridion Symbolorum*, Denziger-Schönmetzer, 1963, n° 3829-3830), cette doctrine des « genres littéraires » aboutissait en 1949 à des affirmations très nuancées sur l'historicité des premiers chapitres de la Genèse. « Si l'on s'accorde, écrivait alors la Commission biblique, à ne pas voir dans ces chapitres de l'histoire au sens classique et moderne, on doit avouer aussi que les données scientifiques actuelles ne permettent pas de donner une solution positive à *tous* les problèmes qu'ils posent. » Ce qui ne veut pas dire que la science n'en apporterait *aucun*. Cependant, poursuivait la même Commission, « déclarer a priori que leurs récits ne contiennent pas de l'histoire au sens moderne du mot laisserait facilement entendre qu'ils n'en contiennent en aucun sens, tandis qu'ils relatent, en un langage simple et figuré, adapté aux intelligences d'une humanité moins développée, les vérités fondamentalement présupposées à l'économie du salut, en même temps que la description populaire des origines du genre humain et du peuple élu » (*Enchirion Symbolorum*, n° 3864).

Ces principes ne sont pas restés lettre morte. L'application qu'ils ont trouvée dans la lecture du chapitre premier, concernant le récit de la création du monde en six jours, doit nous aider dans l'intelligence, plus délicate il est vrai, des chapitres 2 et 3 de la Genèse.

Les six jours de la création

Aucun chrétien, ayant un peu réfléchi, ne pense désormais que l'acte de foi au Créateur exige qu'il accepte le caractère scientifique du récit de la création en six jours, comme le texte biblique, pris à la lettre, paraît l'enseigner. Ainsi peut-on augurer qu'un traitement analogue s'impose quand la Genèse dans un genre littéraire très voisin, va raconter la création de l'homme et de la femme et leur premier péché. Qui pensera, en effet, que l'auteur de la Genèse est en mesure de dire ce qui s'est empiriquement passé alors ? Qui penserait pour autant qu'en raison du genre littéraire utilisé, qui n'est sûrement pas historique au sens moderne du mot, ce même auteur ne dirait rien qui nous concerne en vérité ? Mettant en œuvre des modes d'expression courants à cette époque et qui conduisent à des récits d'une étonnante profondeur humaine et spirituelle, la Bible enseigne l'importance des enjeux de notre liberté envers Celui qui nous confère personnellement ainsi notre plus grande dignité. Cet enseignement, la Bible nous le donne, quelle que soit la qualité d'un pareil récit au regard de la science. En effet, ce qui est révélé sur les origines de l'homme, n'ayant aucune prétention scientifique, est compatible avec tout ce que la science nous apprend désormais sur nos commencements empiriques, sans que ces nouvelles lumières compromettent la compétence de la révélation en son domaine propre ou puissent en tenir lieu.

Prophétisme et culture en Rm 5 et en Gn 3

Pris dans un genre littéraire qu'il faut décrypter, les premiers chapitres de la Genèse ne peuvent être séparés d'autres textes centraux du Nouveau Testament, dans lesquels ils trouvent la plénitude de leur sens. Je pense surtout aux affirmations de saint Paul dans le chapitre 5 de l'Épître aux Romains. Tout en étant marqué lui-même par le genre littéraire de Genèse 2 et 3, – pourrait-il en être autrement vu l'homogénéité de culture entre lui et la Bible ? –, Paul reprend ces deux chapitres, le troisième surtout, à la lumière du Christ et de sa croix. Le Christ, ayant racheté *tous* les hommes, *tous* ont donc péché, et notamment le premier, chef de file et représentant, à ce titre, de toute l'humanité. Dans cette affirmation sur l'unité pécheresse des hommes, relative à l'universalité de leur salut dans le Christ, Paul attribue à Adam la responsabilité causale du péché et de la mort de tous les hommes; il le fait sans le moindre embarras, conférant de la sorte la même autorité à deux types de données qu'il nous faut, quant à nous, soigneusement distinguer.

La première donnée est d'ordre prophétique et concerne l'extension universelle du péché en raison de l'universelle rédemption par le Christ, mais la seconde est d'ordre culturel et vise la représentation du premier homme dans sa causalité sur tous les autres. Cette seconde affirmation s'appuie sur le récit de la Genèse, interprété par l'apôtre de la manière la plus littérale qui soit, conformément à l'opinion du temps où écrivait saint Paul. Or, dans l'affirmation du salut par le Christ, cette donnée culturelle, littéralement comprise, joue un rôle entièrement subordonné. En effet, ce n'est pas Adam mais le Christ qui porte le poids du mystère annoncé. L'affirmation de Paul sur l'universalité du salut ne repose pas d'abord sur celui qui est dit l'origine du péché, mais sur Celui qui en assure la pleine suppression. C'est parce que le salut en Jésus-Christ couvre et saisit toute l'histoire, selon la lumière prophétique de la foi, qu'Adam se trouve introduit par saint Paul comme la cause de l'unité pécheresse des hommes, en raison d'une représentation culturellement plausible en son temps et qui ne l'est plus du nôtre. De toute manière, le prophétisme de l'affirmation paulinienne sur la totalité de l'histoire implique avant tout le mystère de l'*unité pécheresse* du monde et non pas l'*identité causale* d'Adam, empiriquement considéré, qui, depuis la Genèse, dépend d'un genre littéraire que l'on doit décrypter. Mais, dépouillée à bon droit de nos jours du grossissement qu'elle reçoit sous la lentille culturelle de l'apôtre, l'identité d'Adam n'est pas supprimée; elle est transposée du domaine *empirique* où elle est d'abord située, dans l'ordre *symbolique* qui est sa vraie patrie. Elle a pour rôle, irremplaçable dans la foi et même à certains égards dans la culture – point de vue sur lequel je ne m'arrête pas ici –, de rassembler spirituellement l'entière histoire humaine, d'en faire symboliquement un seul tout, afin de la jeter ainsi plus aisément au pied du Christ en croix, qui seul l'a sauvée, comme c'est en Lui seul qu'elle a été créée.

En vertu de la révélation la foi se donne donc le droit, elle se connaît le devoir, d'enrichir le début empirique de l'homme d'une signification spirituelle, ignorée de tout autre. En appelant « Adam » le premier des humains apparus dans l'histoire, elle le voit inséparable de Jésus-Christ dont cet « Adam » est la « figure », comme le dit saint Paul. Elle lui confère ainsi une place entièrement originale soit dans le dessein créateur de Dieu soit dans l'histoire spirituelle du monde.

A la faveur de ces remarques élémentaires nous pouvons reprendre le cours du récit de Genèse 3, prophétique lui aussi et non pas historique au sens moderne de ce mot. Privé donc de toute lumière empirique sur le premier péché de l'histoire, ce texte se donne le droit de décrire l'enjeu spirituel du péché comme tel. Regardé à la lumière du Christ qui nous en purifie, le péché ne cesse en effet d'affecter l'exercice historique de notre liberté. Cette vision radicalisante du péché, si l'on me permet cette formule, la Genèse la place en outre à l'origine, pour mieux montrer combien le péché est un constituant de l'histoire humaine tout entière, – pas le seul toutefois, mais celui que nous risquerions le plus aisément d'oublier. Elle donne ainsi, parmi les péchés, un haut relief au « premier »; à juste titre, car, si léger qu'il soit sans doute comme le pense Irénée, il inaugure une attitude dont la gravité potentielle doit être sans tarder déclarée. Grâce à un tel récit, inaugural au grand sens du mot, nous ne pourrons jamais banaliser le péché, tout en gardant le droit d'ignorer quand et comment sa radicale gravité, décrite par la Genèse de main de maître, est devenue perceptible à la conscience humaine, avec cette lucidité et cette profondeur qui restent l'apanage des rédacteurs de la Bible.

Retentissement en chacun de l'histoire de tous ou « peccatum originatum »

Il faut pourtant veiller qu'un avantage gagné sous un aspect ne tourne en son contraire. Tel qui veut comme moi, montrer en Genèse 3 l'enjeu du péché en lui-même, peut masquer l'*héritage* en l'histoire du premier des péchés et des autres après lui. Le remède à ce défaut passe par le chemin que le cardinal Ratzinger, après beaucoup d'autres comme Schönenberg et Dubarle, indique en ce petit ouvrage dont j'ai déjà parlé. La corrélation étroite des hommes entre eux permet en effet de dire que nul n'échappe vraiment aux conséquences des fautes commises par les autres, en commençant par le premier. Sans doute, personne dans l'histoire, et pas même le premier auquel on pense toujours, hélas, de manière spontanée, n'est la cause efficiente des péchés d'autrui; personne cependant n'est réellement soustrait à la somme des péchés de l'histoire. Tout homme porte en lui, d'une façon aussi délicate à décrire qu'impossible à nier, la marque d'une disharmonie congénitale à l'égard de Dieu, moralement imputable à l'humanité comme telle. Cette disharmonie ne peut pas se comprendre en dehors du projet éternel de Dieu dont la révélation est seule à pouvoir nous informer et qui concerne aussitôt le premier des humains. Néanmoins, la foi est incapable de discerner de manière historique quel est cet individu initial. Il lui suffit de le désigner prophétiquement en l'appelant « Adam ». Seul compte pour elle ce dont elle doit témoigner, à savoir qu'il est pris aussitôt dans l'élection de grâce du Seigneur et qu'il inaugure cependant l'exercice boiteux de notre liberté.

Pareille affirmation, dont on ne doit chrétiennement ni abuser ni se passer, relève d'un diagnostic spirituel intérieur à la foi sans contredire cependant aucune donnée scientifique sur les origines et la nature de l'homme. Toutes les lumières de la science sont, en effet, étrangères à de telles perspectives qui, à leur tour, ne compromettent en rien la liberté de la recherche scientifique dans le domaine qui lui est propre. C'est pourquoi la foi n'a pas à demander à la science ou à la philosophie de confirmer ses vues ou ses affirmations qui sont d'un ordre à part. De même que ces deux disciplines ne dépendent pas de la foi, celle-ci en son domaine n'est pas non plus leur concurrente ou leur maîtresse.

Disons donc en croyants que la situation historique de l'homme, spirituellement envisagée, comporte un héritage négatif, *socialement* accumulé et *individuellement* reçu. Cet héritage consiste en un écart effectif de la conscience humaine à l'égard de Dieu. Sans qu'une responsabilité personnelle pèse sur aucun d'eux, *tout* enfant entre par sa naissance en un tel héritage, qui ne résume pas cependant, à lui seul, tout ce dont l'être humain se trouve, en naissant, l'héritier. Mais l'héritage dont nous parlons ici possède du point de vue spirituel une importance capitale, puisqu'il se rapporte à notre finalité absolue. Du fait de notre entrée dans la communauté humaine, se trouve donc « en nous » le contrecoup d'une situation de péché, appelée « générique », puisque sa cause n'est pas « personnellement » imputable à celui qu'elle affecte. Inhérente à l'humanité, elle est « en chacun de nous » par chemin d'héritage; elle est « en nous » comme résultat d'histoire et non de création; elle est une œuvre non de Dieu mais des hommes; elle touche notre nature par voie de contingence et non pas de structure. C'est cela que saint Paul tire de la Genèse au chapitre troisième, cela qu'il met en lumière à partir du Christ, cela que l'Église confesse, quand elle parle pour *tout* homme naissant d'une « faute originelle ». Sombre sous un aspect qui est souvent trop unilatéralement souligné, surtout dans l'Église latine, cette affirmation suggère aussi notre grandeur et de quelque manière, loin de la compromettre, la garantit encore. Elle nous arrache, en effet, à la tentation de concevoir nos origines de manière purement biologique ou psychique et d'y faire l'impasse sur notre dimension spirituelle, si modestes que soient nos premières manifestations historiques.

Dans un langage peut-être plus accessible à nos contemporains mais qui ne peut pas supprimer le mystère qui s'y trouve impliqué, je viens de remettre l'accent sur ce que la théologie latine appelle en son jargon le *peccatum originatum*. Il est donc entendu que cette communauté relationnelle de *tous* les hommes dans l'histoire affecte chacun d'entre nous, dès sa naissance et par elle, pour le moins bon sinon tout à fait pour le pire.

Le caractère naturel de la mort

Reste la question posée par le rapport entre la mort biologique et le péché. Pour nos contemporains, c'est le point scandaleux par excellence de la doctrine du péché originel.

Physiquement considérée, la mort est, de toute évidence humaine, une réalité inhérente au vivant. Ce n'est donc pas le naturaliser d'une manière indue que de reconnaître à quel point, par son corps mortel notamment, l'homme fait partie de la nature. De quel homme parlerions-nous, en effet, comme croyants, si nous le soustrayions a priori, sous prétexte de le faire plus homme, à la mort physique, qui relève de l'ordre naturel par raison de structure? Humains par l'esprit qui nous est spécifique, nous sommes aussi des êtres, partiellement mais réellement définis par notre appartenance à la nature et donc, en cela, biologiquement conditionnés et donc morts. Cet aspect modeste de notre identité constitue néanmoins une partie de notre vraie grandeur; notre étroite parenté avec la nature est la racine de la responsabilité que nous avons à exercer sur elle; c'est la racine aussi de la communauté de destin qu'elle partage avec nous, selon les affirmations de l'apôtre dans le chapitre 8 de l'Épître aux Romains.

Nul besoin dès lors d'un châtiment du péché pour expliquer la mort biologique. Si la Bible et saint Paul après elle semblent nous enseigner le contraire, c'est en vue d'établir un rapport symbolique entre la mort *biologique,* la plus parlante pour nous, et la mort *spirituelle,* relative au péché, qui, isolée de la mort biologique, pourrait nous laisser tragiquement indifférents. Mais en *symbolisant* le péché par la mort, la Bible n'entend pas nous donner pour acquis que la mort biologique ne vient *que* du péché. Il est évident en effet que, pour un être biologiquement conditionné, la mort physique relève d'abord du fait que cette mort fait essentiellement partie de la vie. C'est pourquoi, de même que la Genèse comprise en vérité ne nous demande pas de tenir la représentation des six jours, quand bien même elle ne considère pas les choses autrement, ainsi n'avons-nous pas davantage à tenir que la mort biologique *ne* vient *que* du péché, encore que dans le récit de la Genèse et dans saint Paul, les deux se trouvent étroitement liés, d'un lien que nous savons désormais de structure *symbolique* et non pas de nature *causale*.

Une objection conciliaire et son dépassement possible

Nous touchons là sans doute un point de doctrine refusé par Pélage. Or le concile de Carthage en 418 qui condamne Pélage ne nous condamne-t-il pas aussi? « Quiconque dit qu'Adam le premier homme, enseigne ce concile, a été créé mortel de sorte que, *qu'il péchât ou non,* il devait mourir corporellement, c'est-à-dire quitter son corps, et que la mort ne serait pas une conséquence du péché mais une nécessité de nature, qu'il soit anathème » (*La foi catholique,* Gervais Dumeige, l'Orante 1961, 174). Cette affirmation paraît bien refuser que la mort biologique puisse être une structure naturelle de l'homme.

Une telle affirmation, étant en contradiction formelle avec une donnée scientifique évidente, ne peut pas être l'objet direct de l'anathème conciliaire. Si les Pères de l'Église ont pensé, eux aussi, que la mort biologique ne faisait pas partie intrinsèque de l'identité naturelle de l'homme, leur opinion doit être respectée comme un signe de leur fidélité à l'Écriture, mais elle n'a pas à devenir la nôtre, puisqu'elle est chez eux un effet de culture, mêlé à la révélation. Mais que devient alors le « canon » de Carthage? Ce qu'une lecture approfondie permet de dire qu'il est.

Refuser à juste titre, avec le concile de Carthage et toute la tradition chrétienne, que la mort biologique n'a *aucun* rapport avec le péché, comme le pensait à tort Pélage, n'implique nullement que *le seul* rapport qu'elle a soit celui d'une *causalité immédiate* et, de quelque manière, *physique* avec lui. Ce type de rapport est formellement contredit, pour l'homme comme pour tout vivant, par la naturalité biologique de la mort. Il est donc exclu que nous puissions nier cette normalité-là. Mais, respecter ainsi les données de la science sur son propre terrain n'est pas pour autant s'exposer à être pélagien. Il existe, en effet, entre la mort biologique et le péché, un rapport réel de *signification,* qui n'a pas à être pensé comme un rapport de *causalité.* Jamais, en effet, la mort dans l'homme, je veux dire la mort humainement vécue, n'est un fait seulement biologique; elle est toujours saisie sur un horizon de valeurs, même si c'est pour l'en exclure. Soit qu'on se dise supérieur à la mort, comme le faisait Pélage, qui en rejetait le sens hors de la vie spirituelle et qui la réduisait à un pur événement de « nature », soit qu'on s'en désespère ou s'en révolte, comme font plutôt les modernes, de toute manière la mort dont nous parlons comme hommes n'est pas la mort purement biologique mais la mort biologique *affectée du sens ou du non-sens* que l'homme lui attribue. En s'enfermant en elle, comme si c'était le dernier mot de l'homme, il passe à côté de la signification que le rapport à Dieu doit pouvoir lui donner, mais il la signifie encore en la disant absurde.

Il est donc vrai contre Pélage, qu'il existe un rapport
réel entre la mort biologique et le péché, même si Carthage,
en affirmant un tel rapport, le conçoit d'une façon causale,
par homogénéité de culture avec la Genèse. Ce n'est plus
notre cas, sans que nous soyons dispensés de la portée
véritable, soit de la Genèse, soit du concile de Carthage
à sa suite et donc aussi des conciles d'Orange et de Trente
surtout. Cependant ce devoir de dépasser, dans un texte
conciliaire et plus encore dans la théologie courante, un
point de vue culturel, identifié à tort avec une donnée de
la foi, appelle une remarque de méthode.

Droits et devoirs réciproques de la foi et de la science

Accepter la naturalité de la mort pour tout vivant et
donc aussi pour tout homme n'est pas *réduire* indûment
le rôle que la foi reconnaît au péché, c'est simplement le
préciser. Comment assujettir la foi à un langage qui
négligerait ce fait, scientifiquement élaboré désormais, que
tout vivant dans notre biosphère est soumis par structure
à la génération et à la corruption, c'est-à-dire à la naissance
et à la mort? Toutefois, une telle structure n'interdit pas
d'attribuer au péché une influence certaine sur la percep-
tion de la mort. Sans avoir à causer physiquement la
réalité biologique de la mort, notre condition pécheresse
n'ajoute-t-elle pas ses propres ombres au fait déjà angoissant
en lui-même de voir mourir les autres et d'avoir à mourir
soi-même? Un voile indéchirable risque de dérober alors
à nos yeux le débouché secret de la mort de tout homme
et de la nôtre aussi sur l'amour salvifique de Dieu. En
outre, s'agissant des effets du péché, la foi ne craint pas
de charger le premier des humains d'un poids tout à fait
singulier. Elle voit donc dans l'ensemble des péchés de
l'histoire et de leurs conséquences, dont le Christ est
vraiment le Sauveur, un lointain héritage de la faute
d'« Adam ». C'est vraiment là aussi une donnée de la foi :
pas la plus importante, tant s'en faut! La plus décisive
demeure évidemment l'universalité de l'élection et du salut
de tous en Jésus-Christ.

Sur la question des origines en général, nous n'avons
donc pas, comme croyants, à exposer les lumières de la

foi comme si elles relevaient d'évidences humaines, alors qu'elles dépendent strictement de la révélation. Sorties de ce contexte, les « lumières de la foi » perdent leur intelligibilité propre et peuvent paraître ou révoltantes ou dérisoires ou les deux à la fois. Aussi bien, le respect que le croyant demande au scientifique, par exemple, mesure le respect dont il doit faire preuve à son tour. Il lui faut accepter que pour un préhistorien, notamment, « Adam », au sens révélé de ce nom, demeure un inconnu. Il ne saisit que l'« homme » au sens générique du terme, dans ses antécédents phylétiques, son aube tellement dérobée et ses développements initiaux. Or cet « homme », qui importe lui aussi au croyant, ne lui appartient pas en propre ; il relève de nombreuses disciplines que le croyant, en raison de sa foi, n'a pas à dédaigner, sans avoir à les pratiquer toutes. Avouons cependant que, trop souvent encore, certaines présentations théologiques, ou qui se veulent telles, étalent une étrange ignorance des données scientifiques les plus élémentaires sur cette humanité naissante qu'il prétend à son tour éclairer. Certes, la foi atteint des profondeurs remarquables. Mais, même à supposer − ce qui n'est pas toujours le cas − qu'on les touche vraiment, aucune suffisance n'en est pour autant justifiée. Ne le serait pas davantage la volonté chez le croyant de raccorder trop vite des points de vue aussi différenciés que ceux de la science et celui de la foi. L'honnêteté exclut de part et d'autre aussi bien les déclarations polémiques d'incompatibilité qu'un mélange injustifié des genres.

On entrevoit ainsi l'erreur de qui voudrait trouver − l'exemple est tout récent − dans le caractère moins évolué de l'« homme de Néanderthal » par rapport à l'« homo sapiens sapiens », un indice somatique du péché d'origine ! Plus finement, et en dépit de Pascal sur ce point, pourquoi vouloir à tout prix présenter la faute originelle comme un fait de culture, aisément contrôlable, alors qu'elle est une pure donnée du Nouveau Testament, à ne jamais couper du mystère du Christ qui commande, lui seul, sa vraie compréhension ? Pourquoi rêver aussi d'un cours trop immédiat, sinon même forcé, dans la culture, de vérités que seule la foi nous permet d'accueillir et de hiérarchiser ? Le manque de prudence et de discernement, qui en découle dans la présentation des mystères de la foi, risque de provoquer des refus portant sur des fantasmes, qu'on prend alors pour la révélation. Nombre d'incroyants ou même d'athées de nos jours le sont souvent (pas uniquement d'ailleurs) pour de telles raisons...

Sur ces remarques qui mériteraient tout un développement, nous reprenons le cours de notre réflexion, en revenant sur un point délicat pour la foi, mais qu'on ne peut laisser dans l'ombre.

Mort biologique de l'homme et responsabilité créatrice de Dieu

Désirant redonner à la mort biologique de l'homme son caractère *d'abord* naturel, j'ai pu paraître en cet ouvrage négliger un aspect important que voici. Même naturellement mortels, en effet, nous pourrions vivre autrement notre mort que dans le pur scandale. En fait, quand nous souffrons, nous sommes le plus souvent poussés à accuser Dieu dans son œuvre ou dans ses intentions, avant d'envisager, en ce qui nous scandalise, notre part possible de responsabilité. Une attitude toute différente se rencontre dans la mort apaisée des patriarches de l'Ancien Testament, de maints chrétiens et chrétiennes aussi, pour ne parler ici que d'eux. Ces hommes et ces femmes entrent dans la mort comme dans une invitation, saisie à travers la nature, d'avoir à se livrer totalement à Dieu, au moment même où l'homme se voit privé de *toutes* les assises jusqu'alors connues de sa propre existence. Ce type de mort, si j'ose ainsi parler, Dieu a pu le vouloir, car loin de nous séparer de lui, il nous en rapproche de façon admirable. Mais quiconque réfléchit d'abord au mystère de la mort, comme c'est mon cas en cet ouvrage, à partir du scandale que ce mystère soulève, risque d'oublier que la mort peut se vivre comme suprême ouverture au Dieu caché en elle.

En revanche, la mort réduite au désespoir qu'engendre l'ignorance ou l'incompréhension du dessein créateur, Dieu ne l'a pas voulue. Il ne reste plus en elle, en effet, que la brutalité biologique, privée alors pour la conscience qui s'y trouve engagée, de tout autre sens que son atrocité. Ainsi dépourvu de la moindre éclaircie spirituelle, le déchirement inhérent à la mort s'accroît de toute une détresse qui n'est pas sans rapport avec la situation créée par le péché. Et comme celui-ci n'est pas l'œuvre de Dieu, la mort ainsi enténébrée ne l'est pas davantage et Dieu ne la veut pas pour nous. C'est pourquoi l'Écriture, visant sans doute cette façon tragique de mourir, nie formellement que la mort puisse venir de Dieu. Cette mort sans espoir, c'est de nous qu'elle vient, selon une finitude dont une certaine méconnaissance de Dieu alourdit encore les souffrances et aggrave les deuils. Cependant, l'obscurité douloureuse de la mort est si grande en soi-même qu'il est insupportable à Dieu de laisser l'homme seul avec un pareil fardeau. D'où le rapport de l'incarnation à la création dont je vais toucher encore un mot, après être revenu sur le point de vue qui prévaut dans cet ouvrage et qui a pu scandaliser certains.

Afin d'entrer vraiment dans le scandale que soulève la mort, j'ai fait comme si le Créateur encourait dans son œuvre une culpabilité véritable. Pour qui va jusqu'au bout du dessein créateur et donc pour la foi, cette culpabilité évidemment n'existe pas. Mais en raison d'une méconnaissance de la révélation qui ne lui est pas toujours, tant s'en faut, imputable, l'homme moderne charge Dieu d'une culpabilité créatrice. Cette imputation scandalise à son tour le chrétien qui n'en voit pas la raison d'être; ce scandale souvent lui échappe ou il a peur de le regarder en face, si toutefois il le pressent. Ce scandale, il faut l'envisager en toute liberté pour répondre, si possible, à ceux qui croient vraiment ne jamais pouvoir ou devoir s'en défaire. Il est vrai cependant que se mettre du côté des cœurs d'abord scandalisés par Dieu, pour lever leur scandale ou du moins essayer de le faire, ne doit pas aboutir à en créer un autre, chez ceux qui ne voient pas quel problème se pose.

Les précisions que je viens de donner permettront, je l'espère, d'apaiser ce type de croyants, sans oblitérer cependant le scandale dont nous sommes partis et que trop souvent, comme chrétiens, nous n'osons pas faire nôtre, alors qu'il obnubile tant de consciences et les écarte de l'amour de Dieu.

Mort de l'homme et élection en Jésus-Christ

A ce scandale indépassable en dehors du mystère du Christ, Dieu répond au contraire par une profondeur d'amour, indépendante du fait que nous sommes pécheurs. Les Épîtres de la captivité nous parlent d'une élection en Jésus-Christ « dès avant la création du monde », qui a sa seule raison d'être dans l'amour de Dieu, quels que doivent être l'accueil ou le refus de l'homme. L'accord des exégètes sur ce point est en train de se faire, comme en témoigne le dernier ouvrage de François-Xavier Durwell, *Le Père, Dieu en son mystère,* Cerf 1987, 112-117. Sur la base de textes importants du Nouveau Testament, trop souvent négligés par la théologie courante, il n'est pas nécessaire, disent-ils, de faire appel au refus historique de l'homme pour découvrir les prévenances de Dieu à notre endroit. De toute éternité, Dieu désire nous diviniser dans le Christ et transfigurer notre finitude dans la gloire spirituelle de la résurrection. Un tel accomplissement ne supprime pas cependant la finitude en mettant fin à sa mortalité. S'il en allait ainsi, cela signifierait, en pleine contradiction avec l'enseignement de saint Paul dans le chapitre 15 de la Première aux Corinthiens, que la mort est la seule modalité de notre finitude. Au regard de la foi c'en est l'état premier, si durable qu'il soit, lié directement par Dieu lui-même à la gloire à venir dont le Christ ressuscité est pour nous les inaliénables prémices.

Divinisation et rédemption

Faut-il le redire? le fait de confesser ainsi avec l'Écriture notre création dans le Christ sans faire d'abord appel à la considération du péché, n'implique pas qu'on évacue ou que l'on minimise le salut que le Christ apporte à notre condition pécheresse. Que ferions-nous sans le salut dont l'Écriture témoigne de toute part? Confesser la place essentielle du Christ dans le dessein créateur, en toute fidélité avec l'Écriture et par approfondissement nécessaire du mystère de notre création, implique seulement que le péché n'a pas à être présenté comme *la seule* raison d'être de l'incarnation du Seigneur. Indépendamment du péché qui l'entrave mais qui sur ce point ne le commande pas, le dessein éternel de Dieu est d'abord de nous diviniser. Dieu donne de la sorte à son œuvre de Créateur la plénitude de richesse à laquelle il veut nous introduire et que nous ne saurions atteindre du premier coup. Or, pour être ainsi divinisés, point n'est besoin que nous soyons d'abord pécheurs, il suffit que nous ne soyons pas Dieu par naissance et que Dieu veuille nous donner par grâce, ce que nous ne serions jamais nous-mêmes par nature. Certes, le péché nous permettra d'approfondir notre différence radicale d'avec Dieu et de mieux mesurer, par le redoublement de gratuité dont nous bénéficions comme pécheurs, l'abîme originaire de l'amour créateur. Mais le redoublement rédempteur ne doit pas nous cacher la gratuité inaugurale de l'élection divinisante qui nous atteint depuis toujours en Jésus-Christ. Avant tout pardon présumé de nos fautes, nous recevons, dès notre création, la vocation d'avoir à devenir des fils dans le Fils qui, s'incorporant d'ores et déjà dans ce but à notre condition, la libérera de surcroît des aliénations du péché.

Le mal de finitude

Toujours en me plaçant du côté du scandale moderne, j'ai donné à croire à certains que la finitude était pour moi un mal. Évidemment, il n'en est rien. Si je parle de fait d'un « mal de finitude », je désigne par là l'infirmité inévitable qu'entraîne notre conditionnement par la nature, lié lui-même à ce cortège de nécessités et de peines, qui culmine en la mort et que le péché rend plus amer encore à supporter. Mais je n'entends pas dire par là que notre finitude, toute inachevée et douloureuse qu'elle soit, est en elle-même un mal et qu'il vaudrait mieux ne pas *être* que d'*exister* ainsi! Dès que j'ai connu une telle méprise, j'ai écrit aussitôt la rectification qui s'impose (« Esprit et Vie » 33-36 (1986) 234-235). L'accueil que cette mise au point a reçu me fait bien augurer de celui que j'espère pour les éclaircissements préliminaires que je propose ici.

Mars 1988.

Avant-propos

pour la deuxième édition

Sortir des impasses où une présentation courante du péché originel nous jette implique un renouveau de plusieurs points de vue.

Exégétique d'abord. Il faut réinterpréter la Genèse, l'Épître aux Romains, le concile de Trente, sans les fausser bien sûr, mais en tenant un compte exact des données de la science concernant l'évolution, la paléontologie, la préhistoire, la naturalité de la mort. Ce dernier point est capital et fort peu intégré encore par la théologie. C'est un fait pourtant : la mort appartient par essence à la vie. Point n'est donc besoin du péché pour expliquer que vivre et mourir ne font qu'un. Il est donc aussi impensable que la Bible ignore ou nie un tel fait. Dès lors, du point de vue de l'anthropologie, les premières pages de la Genèse ne peuvent pas se ramener au seul fait que l'homme a péché. Certes, la faute originelle a une signification importante pour nous, mais laquelle ? Le récit primitif entend-il seulement dresser un procès verbal de notre iniquité ou éclairer aussi et peut-être d'abord notre véritable grandeur ? En conséquence, la christologie *ne dit pas tout du Christ si elle voit en lui uniquement le Rédempteur, qu'il est aussi Dieu merci. Mais, du fait même qu'il crée, Dieu, de quelque manière, se sait le responsable de la souffrance et de la mort, relatives à la finitude de l'homme sans faute de sa part. Ne rattacher l'incarnation qu'au salut du péché, c'est donc oublier que notre création pose d'abord à Dieu un problème d'amour. D'où le dernier aspect de notre réflexion, qui est* théologal. *L'incarnation du Christ nous révèle que Dieu a toujours décidé d'assumer cette finitude grandiose et douloureuse qui est la nôtre et dont il est, en tant que Créateur, le responsable, pour nous par moments scandaleux. Dieu n'est plus celui qui d'abord nous condamnerait, mais celui qui d'abord nous aime plus que lui-même, en s'unissant à nous pour nous unir à Lui.*

D'où les cinq chapitres de cet ouvrage : le premier sur l'anthropologie de la Genèse, le deuxième sur le péché originel traité comme un « raté d'enfance » en fonction d'Irénée et non plus d'Augustin, le troisième sur la vision de l'homme selon la préhistoire, le quatrième sur l'incarnation rapportée à notre finitude et le dernier sur la rédemption inséparable d'une telle vision. Rien de tout cela ne dispense l'auteur de Deux mille ans d'Église *en question* du second tome qu'il *prépare sur l'identité spirituelle du prêtre. Le présent petit livre se rapporte au contraire à son projet d'ensemble. Que deviendrait en effet le prêtre, si le message de la foi s'avérait, de nos jours, inaudible ?*

Avril 1987

Introduction

Plus on attache aux découvertes paléontologiques concernant l'origine de l'homme l'importance qui leur revient, plus la nécessité de confronter ces données avec les représentations que fournit la Genèse sur le même sujet est urgente. Nécessité d'autant plus grande que l'interprétation dogmatique n'a pas toujours tenu compte, tant s'en faut, du genre littéraire propre aux premiers chapitres de la Bible. Alors que l'exégèse, tardivement d'ailleurs, ne s'est pas sentie obligée de soutenir le caractère historique des onze premiers chapitres de la Genèse, la dogmatique, celle de la création de l'homme, et du péché originel notamment, ne semble pas avoir compris dans son ensemble le défi que lui lance la science des origines de l'homme; du moins le grand public chrétien n'en a-t-il pas senti encore tous les effets. Cette quasi-surdité ou ce retard à intégrer ce qu'un enfant apprend désormais dès l'éveil scolaire de son intelligence ont eu des conséquences graves. Comment accorder du crédit à une religion qui véhicule des images qu'elle dit fondatrices et qui sont sans rapport avec ce que tout le monde connaît par ailleurs comme scientifiquement attesté ? Surtout si l'on ajoute à cette négligence l'odieux d'une interprétation étroite et sombre des données de la foi. L'embarras des adultes chargés d'enseigner aux enfants les rudiments de la doctrine chrétienne devient alors extrême.

Une révision s'impose qui a d'ores et déjà commencé mais qui demeure souvent incertaine. Elle suppose connues et acceptées sur les origines humaines les données de paléontologie auxquelles se rallie l'ensemble des chercheurs compétents; elle suppose aussi une réflexion philosophique élémentaire, pour ne rien dire encore de l'exégèse et de la théologie. Ce livre voudrait être un essai de synthèse qui serve l'intelligence de la foi – la foi étant vue non pas comme une entrave à la réflexion, mais comme son meilleur stimulant.

Sans doute la plus grande prudence est-elle ici requise, de même qu'une extrême rigueur de méthode, qui accepte au surplus le contrôle d'une réelle interdisciplinarité. C'est à quoi s'emploie le groupe qui travaille depuis plusieurs années dans le cadre des Facultés catholiques de Lyon et sans lequel l'essai que je propose n'aurait pas vu le jour. Comment n'en pas remercier ici tous les membres? Si je me risque aujourd'hui à parler d'un sujet difficile entre tous, c'est par goût mais aussi par mission. Il est impossible, en effet, qu'un groupe de travail qui s'est donné pour tâche l'étude de l'homme dans la nature n'aborde pas un jour, *ex officio,* la question du péché originel. Son projet initial n'était-il pas et ne demeure-t-il pas encore d'éclairer la recherche théologique et de l'aider à sortir des impasses où une certaine méconnaissance des sciences de l'homme et de la nature ont pu la laisser s'engager?

Je partirai de ce que l'exégèse permet désormais d'avancer avec vraisemblance sur l'intention qui préside au récit de la création et de la chute de l'Homme. Libéré d'entraves inutiles et averti des profondeurs que recèle un texte apparemment naïf, je voudrais suggérer dans un premier chapitre comment on peut exprimer de nos jours le rapport entre le message biblique et une vision d'ensemble de l'homme; dans le second, nous nous demanderons ce que devient alors la faute originelle. Ce sera la première partie. La deuxième, intitulée Préhistoire, reprendra sous forme d'un troisième chapitre, un article paru en 1983 dans le numéro 10 des *Cahiers de l'Institut catholique de Lyon* sous le titre de « L'Émergence de l'Homme ». La troisième partie sera plus directement christologique avec le chapitre quatrième, intitulé « Le Premier-né de toute créature » et la cinquième, qui est un commentaire de la parole de la Première Épître de Pierre sur « l'Agneau désigné avant la fondation du monde ». Ces deux derniers chapitres reprennent des articles parus dans *Communio* en 1976 et 1980. Ils firent toujours partie pour moi d'une vision d'ensemble qui trouve ici son expression et servira, je l'espère, à dépasser un des plus grands scandales de l'homme et de la foi.

Première partie

QUELLE FAUTE ORIGINELLE?

1

Message biblique
et vision d'ensemble
de l'Homme

LE POINT DE VUE DE L'EXÉGÈSE

Une hypothèse nous servira d'introduction [1]. Le second chapitre de la Genèse voit dans la nature un « jardin » confié aux soins de l'homme qui doit le cultiver. Cette vision des choses dépendrait d'une réminiscence : ce « jardin » représenterait un temps culturellement perdu, où l'humanité aurait comme ignoré les douleurs du travail, de l'enfantement et même de la mort! L'entrée dans le travail agraire, autrement exigeant que la cueillette ou la vie pastorale, aurait mis fin à ces conditions d'existence quasi miraculeuses. La sortie du « paradis » évoquerait le passage d'une étape culturelle, révolue et idéalisée, à une autre que l'expérience de douleurs récemment endurées aurait peu à peu assombrie. Ainsi le tournant décisif du paléolithique supérieur au néolithique serait une des clés pour l'interprétation de notre texte.

Qui pourrait trancher sur les regrets d'un temps meilleur dans le cœur des humains? Toutefois, le récit de la Genèse ne saurait se réduire à ce seul élément, si intéressant et justifié qu'il soit.

Historiquement situé, le texte contient en effet une dimension qui déborde le seul rapport de l'homme à la nature, culturellement compris; il comporte un paramètre

1. Pierre GIBERT, « Une lecture de la Genèse », in les *Cahiers de l'Institut catholique* de Lyon, à paraître en mars 1986.

religieux qui ne résulte pas directement de la situation historique. Dans le contexte suméro-babylonien notamment dont dépend la Genèse, ne se rencontre pas le monothéisme absolu et serein qui l'inspire et dont elle fait nettement profession. Le Dieu de la Bible n'est pas celui d'une théogonie. L'Homme s'y retrouve au contraire confronté avec un Dieu qui n'a pas de genèse, tout en étant le principe de la nôtre. La création dont Elohim est responsable à partir d'un chaos primitif n'a rien à voir non plus avec une cosmogonie où les dieux sont à peine séparés ni même séparables des symboles qui servent à décrire la nature. Irréductible sur un point essentiel aux seules lumières diffuses dans le croissant fertile, ce texte ne peut donc pas se voir interprété selon la seule horizontalité de l'histoire. Sans la nier puisqu'il y baigne, il entend apporter quelque chose de « plus » que les contingences heureuses ou malheureuses d'une société donnée. Serti dans une culture particulière, notre récit vise donc une valeur qui est trans-culturelle : c'était un récit de création de l'homme et de la femme où le Dieu mis en scène pour cette œuvre essentielle n'est nullement créé lui-même et ne relève que de lui.

Cette remarque élémentaire entraîne une conséquence exégétique considérable : le souci de ce texte n'est pas de « stocker » des informations culturelles qu'il faudrait garantir [2]; il est de « dire » quelque chose qui dépasse « les travaux et les jours » tout en les éclairant. En effet, ce texte est ouvert par en haut; il est relatif à un référent plus qu'humain. C'est ce référent qui importe, avant tout, à l'auteur dans l'intention qu'il a d'éclairer les relations de l'humanité à Sa source. On trahirait ce texte si on *enfermait* son intentionnalité et sa signification dans un temps rigoureusement déterminé, en fonction duquel se déploierait soit le regret d'un « avant » purement historique, soit la dépréciation du « présent », soit le rejet de l'« avenir ». Son contenu est assez ample ou plutôt assez fidèlement humain dans ses composantes d'amour, de travail, d'enfantement et de peine, pour ne pas être davantage « daté »; par ailleurs il est assez « rêvé » (est-ce étonnant?) pour impliquer la nostalgie d'un « passé » qui aurait été vierge

2. Pierre GIBERT, *art. cit.*

de nos actuelles douleurs, même si l'on ne sait de lui que cette immunité que l'on dirait « paradisiaque ». Enfin il ne perd rien de son humanité, il l'approfondit au contraire en s'ouvrant sur autre chose que la répétition indéfinie de nos misères, car il comporte une promesse de victoire sur le principe obscur des douleurs de notre destinée. Ainsi « ouvert » ce texte est capable de nous « parler » encore : il « dit » plus qu'il ne paraît d'abord le faire. Inséparable d'un bien plus haut que nous, il plonge dans le plus secret de nous-mêmes; sa naïveté est une naïveté de profondeur.

Ce type d'exégèse qui n'est pas seul de son espèce est proprement libérateur [3]. Arrachée à tous les concordismes, elle fait de ce texte un document d'humanité, capable de traverser les âges, pourvu qu'on le saisisse tel qu'il doit être pris. Ce texte de sagesse et non pas de savoir, de sens humain et spirituel, est religieux et non pas scientifique, sous quelque forme que puisse se présenter la science, celle de la nature, de l'homme ou de l'histoire. Aussi bien, l'« avant » dont ce texte fait état, en le disant « paradisiaque », n'engage nullement un ordre de représentations scientifiquement déterminées; il n'a rien à voir avec les explications que la paléontologie ou la préhistoire est capable de fournir sur les origines empiriques de l'homme et sur son développement culturel. Cet « avant » relève des significations que l'homme, en réfléchissant sur sa condition actuelle, élabore pour se tirer au clair dans son rapport à Dieu, saisi lui-même comme le Principe ultime de sa vie. La réflexion théologique doit en tout cas partir du plan de profondeur auquel le récit est lui-même arrivé. Ce qui commande un certain nombre de démarches qu'il faut désormais préciser.

---

3. H. RENCKENS, *La Bible et les origines du monde. Quand Israël regarde son passé. A propos de la Genèse 1-3* (1955), Paris, Desclée, 1964, François CASTEL, *Commencements. Les Onze Premiers Chapitres de la Genèse*, Paris, Centurion, 1985.

LE CHRONOLOGIQUEMENT PREMIER
ET L'ACTUELLEMENT FONDAMENTAL

Parler des origines de l'homme du point de vue de la révélation, c'est espérer atteindre l'homme en ses racines mêmes et le penser dès lors de façon radicale; mais c'est aussi s'interdire de mélanger deux itinéraires distincts. Pour décisifs que soient les débuts, le plus important ne se cantonne pas nécessairement dans le commencement. Pour atteindre l'essentiel dans l'homme un double chemin se propose, que la distinction élaborée par les linguistes entre le diachronique et le synchronique permet de bien fixer [4].

Le diachronique désigne dans le temps l'*extension* de l'histoire, le synchronique l'*actualité* ou mieux encore la condensation des contenus du temps sous l'aspect du présent. S'agissant donc du péché d'origine qui représente pour la Genèse notre entrée dans l'histoire, on pense spontanément que le meilleur moyen de le comprendre est d'adopter un point de vue diachronique; aussi essaie-t-on de se mettre, avec la Genèse croit-on, à la source des temps, au début de l'histoire, pour être mieux à même de saisir ce qui s'y est passé. Cette attitude prévaut encore chez beaucoup dans le cas de la création comme telle. On pense que la « comprendre », c'est se placer au tout début de l'être afin de mieux saisir la sortie du néant! On oublie de voir qu'en privilégiant ainsi le moment initial, à supposer qu'on puisse réellement se le représenter, on réduit le problème de la source absolue à la seule *empiricité* du début, sans atteindre pour autant la radicalité de sa *permanente* origine.

S'il en allait ainsi, le problème d'origine que pose la création se ramènerait à la réalité du « big bang ». Descartes peut-être l'eût pensé. Nous n'avons pas à l'imiter ici

---

4. Georges THINES, et Agnès LEMPEREUR, *Dictionnaire général des sciences humaines,* Paris, Éditions universitaires, 1975, p. 275. *La Linguistique. Guide alphabétique,* sous la direction d'André MARTINAT, Paris, Denoël, 1969, p. 73-80.

puisqu'il semble avoir ignoré que la création n'est pas
limitée au départ; la question qui éclate davantage au
début est toujours actuelle : c'est maintenant que l'être
échappe encore au néant. Le diachronique est donc
secondaire, en tout cas il n'a pas l'importance essentielle
qu'on serait tenté de lui donner d'abord. C'est aujourd'hui,
partout et à propos de tout que se pose la question de
l'origine de l'existence ou, pour parler momentanément
avec Heidegger, de l'*être* des étants. Or on n'éclaire en
rien l'*acte* qui fait surgir l'être même des choses, en
décrivant la *modalité* reconstruite après coup de leur
existence initiale. En effet, aucun des moments, fût-il le
premier, de la diachronie ou de l'histoire des *étants* n'est
réellement privilégié par rapport à l'actualité de leur *être*.
Le meilleur point de départ pour saisir le mystère de l'être
en son jaillissement n'est donc pas celui qui, pour la
représentation, est le plus initial et qu'on appelle le début,
mais bien celui qui est le plus pénétrant par l'accès qu'il
nous ouvre à la racine de l'être actuel du monde. Bref
l'*originaire*, qui désigne la Source actuelle de la Création
tout entière, est plus important ou tout aussi fondamental
que le *premier moment* difficilement représentable où
s'inscrit le début empirique du monde [5].

De même pour le péché. Le comprendre en sa racine
n'est pas nécessairement le saisir, ou croire le saisir, en
son passé le plus ancien. Du reste, ce « premier » péché,
qu'on appelle pour cela originel, est inaccessible en sa
réalité concrète puisqu'il se situe, au bas mot, à quelque
deux millions d'années de nous. La Genèse qui semble
vouloir nous transporter en ce premier instant de l'histoire
le fait beaucoup moins qu'il ne paraît d'abord. Ce qu'elle
décrit comme la faute originelle, nous le verrons mieux
par la suite, est ce que l'homme ne cesse de faire
maintenant en péchant, à savoir se préférer à Dieu ou le
dédaigner dans son autre qu'est l'homme. La *faute origi-*

5. Georges DUMÉZIL, *Les Dieux des Indo-Européens*, PUF, 1962, p. 95 ss.,
demande qu'on distingue entre *Prima* (les choses qui apparaissent en premier)
et *Summa* (les choses les plus importantes). Cité André GREEN, « Après-coup
l'archaïque », in *Nouvelle Revue de psychanalyse*, Paris, Gallimard, 1982, n° 22,
p. 195. Dans le cas de la création qui nous occupe ici, ce que le début
chronologique (*Prima*) contient de plus important (*Summa*) est ce qu'on retrouve
toujours et non pas la seule singularité décisive peut-être en son ordre du pur
commencement.

nelle, entendue comme le *premier* péché, est donc pour la Genèse le péché *actuel,* paraboliquement projeté au début de l'histoire. L'originel qui, chronologiquement parlant, nous échappe, la Bible l'atteint donc par une rétro-vision à partir du présent [6].

Ce n'est pas qu'en un certain domaine le retour empirique au passé, reconstitué autant que faire se peut, ne soit pas éclairant. L'explication proprement scientifique du monde consiste à ramener la complexité actuelle des choses à leurs conditions primitives; elle cherche à découvrir les matériaux les plus élémentaires et à opérer la synthèse du plus complexe à partir du plus simple. Qu'on songe à l'expérience de Miller et à celles dont elle fut les prémices, pour expliquer l'apparition des premières molécules organiques. On a pu découvrir avec vraisemblance un des premiers chemins empruntés par la vie [7]. La science ici fait triompher le diachronique, où s'étalent les choses. Dans l'ordre spirituel et humain, il n'en va pas nécessairement de même s'il est vrai que pour l'homme son identité l'accompagne toujours. La conscience de soi qui fait la synthèse du temps est là de façon synchronique, ce qui ne veut pas dire qu'elle est aussitôt explicite et maîtresse de soi [8]; elle est là cependant comme une nouveauté, germinale sans doute, irréductible à l'inconscience d'exister et impliquant que soit franchi « le pas de la réflexion », comme l'a dit Teilhard [9]. Ce que l'homme est ainsi devenu en sa source, sans qu'on puisse décrire exactement *comment,* il l'est resté toujours, sous des modalités diverses. Par conséquent ce qu'il fut *jadis,* il peut en profondeur le saisir *maintenant.* S'identifiant lui-même dans les signes qu'il a laissés de sa présence et de son devenir, il peut résorber en lui-même la dispersion des temps sur laquelle repose son histoire. Ses débuts sont encore en lui-même et il est en lui-même la conscience qui peut rendre présent un immense passé. Si ce n'était pas vrai, la préhistoire exercerait-elle sur nous tant d'attrait? Serait-elle même possible? En fait, dans l'homme des cavernes,

---

6. Voir plus bas, p. 51-53.
7. Joël de ROSNAY, *Les Origines de la vie, de l'atome à la cellule,* Paris, Seuil, 1966, p. 118-125.
8. Voir plus bas, p. 94-96.
9. *Le phénomène humain,* Paris, Seuil, 1955, p. 180.

pour aller au plus simple, il s'agissait déjà de nous et nous le constatons.

Pour atteindre dès lors en nous le primordial, le chemin qui s'impose n'est pas le diachronique ou du moins ce n'est jamais le diachronique à l'état pur, isolé du présent. Longtemps d'ailleurs, le présent seul a conduit nos devanciers jusqu'à l'originel : ils procédaient par projection mythique pour découvrir quelle fut l'aube du temps. Le mouvement manquait d'appui objectif, mais en lui-même il n'était pas erroné : il exprimait le rapport de tout individu humain à l'universalité de l'histoire et à la compréhension qu'il désire acquérir de l'humanité tout entière.

Dans le problème qui nous occupe ici, nous ne parlerons donc pas d'abord du *chronologiquement originel,* qui n'était pas empiriquement accessible à l'auteur de la Genèse; en revanche nous parlerons de l'*humainement primordial* qui est la mesure et la norme de notre vérité actuellement consciente. Ce point de vue radical sur l'homme qui nous saisit chacun et tous en profondeur est celui de l'esprit, de la conscience et de la liberté. C'est à cette profondeur que la Genèse nous conduit; c'est là aussi que le récit primitif prend sa véritable portée, qui est kérygmatique [10].

UN KÉRYGME SUR L'HOMME ET SON HUMANITÉ

Sous la modalité du diachronique et donc du révolu, le récit yahviste traite en réalité de notre vérité actuelle. Mais c'est l'ensemble du récit qui le fait. On ne peut le réduire à un trait isolé, si important qu'il soit, comme l'est le péché. Il faut le prendre comme un tout, car il prétend nous présenter sous le biais du passé l'ensemble des paramètres qui nous permettent de nous comprendre *actuellement* nous-mêmes, sublimes et misérables.

De tous les êtres de ce monde, seul l'homme en effet se définit par le « souffle » ou « l'image de Dieu »; lui seul est un être de conscience, de parole, d'amour et donc

10. On désigne par ce mot le fait que le message est *proclamé* en ce qu'il a de surprenant.

aussi de liberté. Il n'est pas déterminé par une nature qui
le conduit aveuglément. Sans doute a-t-il en lui-même,
comme on dit de nos jours, un programme et un programme humain ; mais ce programme est de n'en pas
avoir, au sens où l'être humain n'est pas de soi déterminé
par des instincts ou des montages mais est livré à son
propre conseil. Cependant, ne venant à la conscience de
soi qu'à l'intérieur d'un monde dont il n'est pas l'auteur,
il s'ouvre à lui-même selon un paradoxe de maîtrise et de
consentement : de maîtrise sur un monde extérieur qu'il
peut assujettir à ses fins, mais de consentement à une
altérité des choses et des gens qu'il ne peut ramener à
lui-même et qui désigne ainsi déjà l'altérité de Celui qui
lui donne le monde. Pour le récit des origines, le plus
profond de l'homme n'est donc pas d'abord l'erreur
commise dans l'exercice premier qu'il fait de cette profondeur, mais cette profondeur même qui n'est rien d'autre
en fait que notre liberté.

La liberté pour la Genèse est un pouvoir de croissance
de soi dans l'ampleur des « oui » qui l'ouvrent, l'un après
l'autre, au Réel. Le premier « oui », le plus élémentaire,
est l'accueil des choses et des vivants du monde que
l'homme reconnaît et peut ainsi nommer. Ce « oui » est
lié à un acquiescement non moins constitutif : à ce « oui »
de pudeur, de tendresse et d'émerveillement pour l'autre
de soi-même, sans l'existence de qui ni lui ni elle ne
deviendraient eux-mêmes ; du sein d'un tel acquiescement
de l'un à l'autre et des deux unifiés jaillit un nouveau
« oui » qui s'adresse au visage naissant de leur chair
désirante et des cœurs comblés. Mais ces « oui » essentiels
à ces têtes et ces cœurs couronnés que sont l'homme et
la femme doivent éclore au grand large d'un « oui » plus
radical encore. C'est le « oui » de la première rencontre
avec Celui qui n'est à ce point le tout Autre qu'afin de
se donner d'autant mieux à qui diffère de Lui. Certes, ce
« oui » est si profond et si « paradisiaque » qu'il est souvent
difficile à bien articuler ; mais il est si vital qu'il reste
toujours désiré, même s'il est hésitant et paraît refusé...
Mais n'anticipons pas.

Tout ce que la Genèse vient de nous rappeler : que
l'Homme est l'intendant qualifié de ce monde, capable de
penser, de parler, de se dire, d'aimer, de demeurer lui-

même en se multipliant pour dominer la terre, représente comme un vade-mecum de notre vraie grandeur; elle dit que si la misère est notre fait – qu'est d'autre le péché aux yeux de la Genèse? –, notre dignité de créature est inaliénable en sa source, parce que nous sommes faits à « l'image de Dieu » jusqu'en notre chair même puisque nous sommes tous, modestement mais bien réellement, personne, esprit, liberté et sujet. Tout cela, cependant, le récit le rappelle non pas comme une chose qui va absolument de soi; il n'entend pas répéter de simples lieux communs; il veut raviver la mémoire de ce qui est souvent oublié, ignoré ou détruit; il veut rendre la vie aux grandeurs refoulées, mettre en lumière aussi bien la noblesse que la fragilité de ce « souffle de Dieu » qui donne forme à notre humanité.

En ce sens le vade-mecum que nous propose la Genèse ne contient pas uniquement des traits que chacun d'entre nous pourrait par lui-même établir; c'est un aide-mémoire pour un monde oublieux; c'est l'équivalent d'un kérygme sur notre identité. C'est donc une annonce, un message, une levée de voile, une révélation qu'aucun autre savoir ne saurait suppléer; il faut sans cesse y revenir et ne jamais l'estimer dépassée. Tout daté qu'il paraisse et qu'il soit, ce texte concerne nos racines; de là le rôle primordial qu'il a toujours joué; il est au rang des textes fondateurs de la conscience que nous avons à prendre de notre humanité; son contenu est décisif, il ne peut être supplanté; à travers la singularité historique d'un genre littéraire naïf et imagé, il vise et il atteint l'universel humain.

Mais lui reconnaître une telle autorité n'est pas en faire un récit qui tiendrait lieu de tout au plan de la culture. Il ne dispense en rien notamment des types de savoir dont il n'a d'ailleurs aucune idée mais à l'égard desquels il n'accrédite aucun rejet. Supplanté par rien ni personne en son ordre, il ne supplante donc aucune science dans le sien.

LA PERSPECTIVE SCIENTIFIQUE
SUR LES ORIGINES DE L'HOMME

Indépendantes de tout système qui prétendrait les annexer, les données scientifiques sur les origines de l'homme et de l'univers ont déchiré depuis quelque trente ans la ligne d'horizon jusqu'alors existante [11]. Tout part désormais de très loin, de très haut, de l'énergie à l'état pur si l'on peut ainsi dire. A quinze milliards d'années, le « big bang » marquerait le début d'un univers en expansion où des milliards de galaxies, comptant chacune des milliards d'étoiles, contiennent aussi d'innombrables soleils. Autour de l'un d'entre eux, à cinq milliards d'années de nous, ce qui sera la terre se forme, se refroidit et se donne un visage. Étonnant phénomène, estimé vraisemblable par certains dans d'innombrables cas, effectivement réalisé au moins une fois en toute certitude : le vivant lentement apparaît et, après deux milliards d'années de latence et de piétinement, éclate au Cambrien vers moins six cent millions d'années. Inépuisable désormais dans ses formes, non moins qu'inlassable dans ses essais et ses adaptations, la vie animale, pour ne parler que d'elle, se différencie et se déploie. Développant ses pouvoirs de respiration, de nutrition, de reproduction et de locomotion, elle change ses formes sans compromettre sa viabilité et envahit tour à tour les eaux, la terre et l'air aussi. Vers quatre cent millions d'années en effet les vertébrés sont là, aquatiques d'abord et d'ici peu terrestres, inaugurant une tétrapodie [12], promise à toutes les conquêtes qu'un vivant peut souhaiter dans notre biosphère... Pressons le pas, car l'homme n'est pas loin. Entre cinquante et quinze

11. Hubert REEVES, *Patience dans l'azur. L'évolution cosmique*, Paris, Seuil, 1981, Id., *Origine et évolution de l'homme*, Paris, Laboratoire de préhistoire du Musée de l'Homme, 1982; Yves COPPENS, *Le Singe, l'Afrique et l'homme*, Paris, Fayard, 1983; André LEROI-GOURHAN, *Le Crâne des vertébrés, du poisson à l'homme*, Paris, Fayard, 1983.

12. Ce mot désigne le type d'organisation des vertébrés supérieurs qui comporte *quatre* membres locomoteurs, symétriquement articulés sur un axe vertébral d'abord horizontal.

millions d'années, la bipédie se profile déjà, irrésistible-
ment, avec les Primates. Les membres antérieurs s'assou-
plissent mais aussi se libèrent de la seule locomotion ; le
crâne s'affranchit des contraintes musculaires qui lui
viennent de la tétrapodie, le cerveau ne cesse de grossir,
commandé et servi par une vision binoculaire qui se
développe en position faciale, non moins que par la main
qui bourgeonne et qui, épanouie, devient peu à peu
préhensile...

Le blanc qui demeure pour nous sur les Primates entre
quinze et cinq millions d'années est occupé par une
évolution qui aboutit aux Australopithèques. Ils sont là
vers moins quatre millions. La bipédie parfaite est assurée
cinq cent mille ans plus tard : les cendres fossilisées de
Lœtoli gardent, en Tanzanie, les traces ineffaçables d'un
pas que l'on dirait humain. Les restes de Lucie révèlent
un cerveau tout proche désormais du Rubicon, encore
non franchi, semble-t-il, de l'instinct.

Vers deux millions d'années, l'outil enfin paraît, œuvre
de *l'homo* qu'on appelle à bon droit *habilis* et que l'on
peut déjà dire *sapiens*. Fabriquer un instrument, non plus
déterminé, comme l'est le résultat quelquefois admirable
et néanmoins toujours stéréotypé de l'instinct, mais *ouvert*
sur un usage polyvalent, traduit à sa manière la liberté
naissante et donc déjà née ; car celui qui le fait, le prend,
le laisse, ne s'identifie donc jamais à lui, tout en pouvant
s'en servir à son gré ; il est entré dans un monde nouveau.
En effet l'outil élémentaire, l'instrument à tout faire, c'est,
avec la main, le cerveau et bientôt la parole, le signe
intramondain de *l'esprit*. L'homme y exprime le pouvoir
qu'il a de choisir, au sein de la nature, les voies et les
moyens d'une action multiforme qui ignore, en son ordre,
des limites assignables d'avance. De fait, l'auteur de cet
objet qu'on appelle l'outil n'est pas rivé au pur répétitif
des fonctions seulement biologiques [13]. De cet outil il va
pouvoir multiplier le nombre, la matière et les formes ; on
les trouve, vers moins de deux millions d'années, en nappes
envahissantes, dans la haute vallée de l'Omo en Éthiopie,
à Olduwaï en Tanzanie, à Koobi Fora dans le Kenya.
Homme modeste, avec un cerveau entre 500 et 700 cm³,

13. Yveline LEROY, cf. chapitre 3 ci-après, note 3, p. 98.

mais homme assurément, l'individu responsable d'une telle industrie s'est pour le moins délivré des montages innés ou appris par instinct, il s'est risqué dans l'espace ouvert et ouvrant des inventions opératoires, rendues possibles par l'instrument à faire des instruments. Il faudra du temps pour que s'épanouisse pleinement ce pouvoir, fait d'intelligence et de liberté commençantes, mais avec ce pouvoir dont on connaît les œuvres, l'*homme* réellement est né; il ne disparaîtra plus, mettant au service de son développement culturel les ressources héritées de la vie dont il est, à coup sûr, la dernière réussite connue.

Certes l'arborescence humaine qui part du berceau africain, pour s'étendre vers un million d'années avant notre ère, sur l'Eurasie, de Tautavel à Chou-Kou-Tien, puis refluer vers l'ouest et gagner par la Béringie le nouveau continent à la fin du paléolithique, est d'ordre biologique et elle eût été impossible sans les ressources propres au vivant. Tout ici est naissance, croissance et mort par contingence ou par déclin; l'arbre humain perd ses feuilles de façon périodique et les renouvelle sans cesse; chaque individu n'apparaît que par génération et doit pour subsister jouir de ce vouloir vivre étonnant sur lequel la biosphère tout entière repose. Dans l'homme, cependant, le biologique sert quelque chose qui le déborde; le cerveau ne cesse de déployer et d'intérioriser ses circonvolutions, la main s'affine ainsi que les conditions phonatoires. De l'*habilis* africain, contemporain de rivaux moins fortunés qui ont manqué le Rubicon, au Cro-Magnon, une onde d'outillage et d'objets de plus en plus variés désigne et constitue comme un flux culturel qui va s'agrandissant; ce flux charrie ou dépose dans les archives spirituelles du monde, après les choppers où brillent les premières étincelles de l'esprit, le biface déjà beau dans son utilité. Vers moins 400 000 ans, le feu humain, je veux dire le foyer entretenu pour lui-même, s'allume de partout dans le monde. Vers moins 100 000, la terre se creuse et s'aménage par le soin des vivants pour recevoir des morts. Les sépultures attestent ainsi que la nature qui fait mourir doit devenir aussi l'endroit où l'homme est honoré en dépit du destin qui le frappe, sans que soit interdit aux humains l'espoir d'un autrement ou d'un ailleurs. Ainsi, à la Chapelle aux Saints, à la Ferrassie, à la grotte de l'Hortus, pour ne parler que de sites français. Puis c'est l'art qui, déjà apparu dans des objets d'usage et d'ornementation, gagne sa gratuité dans les cavernes, où l'expérience des chasseurs, vers moins 30 000 ans, se dédouble en interprétation symbolique de l'homme et de son monde encore animalier. Vers moins 8 000 enfin, c'est la domestication de l'animal, d'abord chassé puis protégé dans les troupeaux; puis l'homme dialogue avec la terre par la graine et l'épi; il découvre les étoiles, se bâtit des maisons; c'est alors le village, bientôt les villes et leurs greniers; il forge les métaux, invente l'écriture, fait surgir l'organisation politique et enfin les empires...

Qui n'aimerait d'amour ce lent et puissant devenir d'un fleuve qui prend son temps pour mieux suivre son cours et qui distend ses rives en différant à l'infini son estuaire? Mais qui peut réellement se cacher les immenses questions qu'un tel devenir, après une telle naissance, recèle? L'interrogation spirituelle explicite, c'est vrai, se signifie tardivement chez les individus préhistoriques : elle date du paléolithique avec les sépultures, du néolithique récent avec l'écriture. Mais qui pourrait nier qu'un questionnement se soit fait jour en eux sans qu'une trace objective ait pu nous en rester? A nos yeux en tout cas, leur histoire qui est aussi la nôtre pose d'inévitables et nombreuses questions. Pourquoi cette lenteur? Pourquoi cette unité polymorphe et pourtant absolue d'une espèce qui résiste aux dislocations en sous-espèces ou espèces nouvelles, qui frappent inexorablement la diffusion de tout autre vivant? Quel sens a ce progrès des pouvoirs humains révélés par des œuvres géniales d'art ou d'utilité? Quel sens aussi et peut-être surtout ont cette chute dans la mort et ce retour à la nature, pacifique et brutal? Vers quoi, vers qui se rend l'humanité toujours mortelle et toujours renaissante? Nos interrogations rejoignent celles de la préhistoire, que l'on peut deviner dans l'art, la sépulture, les symboles écrits sur les parois des cavernes ou gravés au ciseau. Comment nous situer, semblent-ils nous dire, par rapport aux autres animaux? Comment se déchiffrer soi-même en se rendant en ce creux matriciel du monde, que sont alors les grottes et les cavernes? Tous ces problèmes sont nôtres. Nous savons plus de choses par voie d'explications – la science est là enfin! – mais donnons-nous vraiment plus de sens à ce monde que nous connaissons davantage? La mort demeure une question insoluble à chacun et à tous; elle paraît plus scandaleuse encore en frappant de façon plus massive; elle est devenue au surplus une arme contre l'autre homme, moins bien traité alors qu'un animal, puisqu'on connaît des populations de chasseurs, « primitifs » dit-on, qui s'excusaient auprès de leur gibier d'avoir à le tuer mais le faisaient, avouaient-ils, par pure nécessité. Bref, par tout un aspect d'elle-même, la vision scientifique des origines et de la préhistoire de l'Homme ouvrent à pleins horizons sur l'univers de la philosophie.

LE POINT DE VUE PHILOSOPHIQUE

La nécessité de parler de l'esprit pour rendre compte de la singularité de l'homme dans la nature peut donner lieu d'ailleurs à une fausse question. Croyant toucher le fond de la philosophie, on se demande souvent d'*où* peut venir l'esprit dans l'homme. Sous cette forme, la question est dénuée de sens. Si l'esprit n'est pas une tenace illusion, sa réalité ne peut relever du domaine des choses. Or la question *unde*, comme on dit en latin, est une question de lieu qui vaut pour les seules réalités matérielles. Mais si l'esprit n'est en rien une *chose,* son origine n'a rien à voir non plus avec l'espace *d'où* il viendrait, quelque lointain qu'on le suppose.

L'esprit ne vient pas d'un *ailleurs* au sens local du mot; il est d'un autre ordre que celui d'une étendue quelconque où il pourrait trouver sa *place,* avant que l'on puisse en parler lorsqu'il paraît dans l'Homme. En dehors de nous, où il se manifeste, l'esprit de l'Homme, philosophiquement compris, jouit d'un non-lieu absolu, au sens fort du mot. La vraie question sur lui n'est donc pas d'*où* il vient puisqu'il ne résulte pas de l'espace, mais *où* et *comment* il se fait connaître, quelle origine, elle-même spirituelle, implique le fait qu'il existe et qu'il se manifeste sensiblement dans l'Homme.

Inséparable du corps grâce auquel il signifie sa présence et exprime son originalité par rapport au psychisme de *tous* les animaux, l'esprit n'est pourtant pas réductible à sa seule expression. Il *ne* peut *pas* résulter *que* du corps, puisque le corps qui insère les hommes dans l'univers des *choses* n'en est pas une seulement et se trouve engagé dans la dignité des *sujets.* Le fait d'être homme implique en effet la revendication d'une inviolabilité absolue de soi-même, à commencer par celle de son corps propre. Chaque être humain est une demande muette ou orageuse d'un respect qu'il entend recevoir de ceux auxquels il ressemble et au milieu desquels il se meut; il est celui qui ne tolère jamais de se voir traiter comme une chose et qui exige, de cent manières, qu'on salue en lui le détenteur de droits imprescriptibles, quels que soient son âge, son sexe, son rang ou ses faiblesses. Rien ne peut faire oublier à autrui les égards absolus que son identité réclame inconditionnellement. Bien plus, dans l'impossibilité où un individu, quel qu'il soit, se trouve de faire valoir ce que sa dignité exige, il revient à tout autre le devoir impérieux de protéger des droits devenus sans défense. Que l'homme existe implique donc que jamais il ne soit traité par quiconque comme une chose qu'on pourrait exploiter à son gré. Toujours il mérite les égards infinis que l'on doit au rang qu'il tient dans l'échelle des êtres, car au plus haut sommet sensible présentement connu à l'intérieur du monde, l'Homme se connaît comme un sujet qui vaut *par soi* et non comme un objet purement *relatif* à ce qui l'entoure. Ce qui vaut maintenant a valu dès que l'homme a paru dans ce monde.

Tout englouti qu'il ait pu être dans les conditions naturelles qui lui permettaient d'exister, l'*habilis* ou le premier fabricateur d'outils, quelque nom qu'on lui donne et quelque silhouette qu'on se forme de lui, maîtrise déjà les choses par un pouvoir qui n'est plus seulement biologique de fonction comme chez l'animal, mais déjà culturel de libre décision. Avec lui un pouvoir tout nouveau fait son apparition et intronise dans la nature l'irréversible réalité de l'humain. L'hominisation somatique des Primates ou « la dérive humanisante » [14], qui prépare en fait l'apparition de l'Homme, est relayée par l'humanisation, élémentaire mais réelle déjà de la nature, que signifie une industrie lithique largement répandue; cette humanisation est elle-même inexplicable, comme nous le reverrons [15], sans une identité spirituelle propre à tout individu de la nouvelle espèce, si humbles qu'en soient encore peut-être le squelette, la face, le comportement, le langage et les œuvres. Même si l'on ne peut pas tirer totalement au clair le mode de présence et d'action réciproques du corps et de l'esprit immanent à ce corps – puisque l'esprit, s'il est vraiment esprit, n'est jamais reconnu qu'à travers ses effets d'intelligence et de parole –, rien ne justifie en tout cas qu'on nie, pour se délivrer d'un problème autrement insoluble, l'originalité de l'homme au sein de la nature, sous forme d'une transcendance conditionnée et cependant réelle. Ce qui revient à postuler pour l'être humain une origine qui interdit de voir en lui un simple produit des processus inhérents au cosmos ou à la biosphère.

Si l'homme, en effet, comme esprit et sujet, n'était qu'un produit de la nature et de la vie, comme un virus, une fougère, un oiseau ou un singe, il ne revendiquerait pas pour lui et pour tout homme un traitement *à part* qui le différencie absolument de ce qui n'est pas lui. Or, nous l'avons vu, l'homme ne se sait homme, en lui-même et au regard de l'autre, qu'en exigeant, dans l'adhérence au monde dont il ne saurait se passer, de se voir traité *tout autrement que le reste du monde.* Ni simple chose, ni pur objet à ses yeux et au regard des autres, il s'affirme comme étant dans le monde du *non-monde* en lui-même; il se sait et se veut autre chose dans le monde que le monde lui-même [16]. Sur ce point Pascal a proféré des mots inoubliables; il a défini l'Homme par le *savoir* de soi et finalement par la conscience réfléchie. On peut

14. La formule est d'Édouard L. BONÉ, « " Homo habilis " nouveau venu de Paléoanthropologie » in *Nouvelle Revue Théologique*, 1964, p. 624. Elle est reprise par Pierre GRELOT, *Réflexions sur le problème du péché originel*, Paris, Casterman, 1968, p. 85-86.
15. Voir plus bas, p. 99-103; 106-110.
16. Sur la transcendance de l'homme de l'intérieur du conditionnement naturel, Karl RAHNER, *Traité fondamental de la foi* (1976), Paris, Centurion, 1983, p. 39-50. Claude BRUAIRE, René HABACHI, *Le Moment de l'homme*, Paris, DDB, 1984, p. 196-199.

poursuivre encore en parlant de la *reconnaissance* et donc de *l'amour* que chaque individu humain réclame pour lui-même et doit donner à tous les autres. L'Homme ouvre ainsi dans la nature un registre d'existence non seulement de sujets, isolément considérés, mais de corrélations subjectives créées par les échanges des sujets, qui constituent le monde humain. Aussi, à moins de dire que l'Homme dans sa grandeur propre est sans principe ni raison, lui qui se glorifie d'ouvrir le monde à la raison, force est bien de chercher *par-delà* la nature, le Principe et la Source non seulement de l'homme comme esprit, mais de l'univers lui-même auquel l'homme comme esprit se trouve incorporé.

Mais parler de la sorte, c'est entrer en des eaux si profondes que le philosophe de nos jours récuse ici sa compétence et appelle théologie ce qui n'est cependant que la plus haute forme de sa pénétration. A cette dérobade des philosophes, il existe une excuse : la manière souvent grossière et ridicule dont on a présenté l'action transcendante de Dieu au principe caché de tout Homme. Or cette action ne peut que dépasser toute image qu'on essaye de s'en faire et tout pouvoir humain connu. C'est pourquoi l'expression, courante au Moyen Age, de l'*infusion* de l'âme dans le corps, surtout si on la présente de façon graduée, paraît aussi insupportable que de se demander de nos jours *d'où* peut venir l'esprit. L'esprit n'étant pas une chose n'a pas de *lieu* d'origine, il ne peut pas être davantage objet de *manipulation*. Il est *conditionné* dans son apparition, mais il *est là*, sans qu'on sache *comment*, dès que l'Homme apparaît, ou plutôt, l'*Homme* apparaît parce que l'âme ou l'*esprit* est là. Mais il est là, non pas *produit* par l'évolution qui cependant le *conditionne*, mais *donné* à cette évolution dont il couronne la signification [17]. Cependant l'acte par lequel la Source transcendante du monde fait don à la nature de ce « plus » infini qu'est l'esprit est *irreprésentable* en soi; il est seulement *affirmable*, si j'ose ainsi parler, et il l'est à bon droit puisque la

---

17. C'est ce qu'on appelle désormais « le principe anthropique » Reeves le résume ainsi : « Étant donné qu'il existe un observateur, l'univers a les propriétés requises pour l'engendrer », *op. cit.,* p. 158. C'est revenir, sous une forme atténuée, à la grande intuition de Teilhard : « La vraie physique est celle qui parviendra, quelque jour, à intégrer l'Homme total dans une représentation cohérente du monde » (*Le Phénomène humain,* p. 30).

grandeur de l'Homme le postule et l'exige [18]. C'est donc
en voyant l'Homme *apparaître* ou plutôt *apparu,* car son
apparition s'est déroulée sans témoin, qu'on peut et doit
affirmer que la Transcendance a confié au monde sa
propre « image », sous la forme historique de l'Homme,
sujet doté, même à l'état naissant, d'esprit, de conscience
de soi et de liberté. Mais la modalité sous laquelle un tel
effet d'histoire est atteint dans le monde et continue de
l'être, à la croisée des pouvoirs de la vie et de la
Transcendance créatrice de Dieu, demeure dans un secret
finalement impénétrable. Heureusement! Sinon l'origine
spirituelle de l'Homme se verrait ramenée à une opération
purement empirique qui nierait par son caractère naturel
la grandeur de ce qui est à expliquer. C'est pourquoi
l'origine spirituelle de tout individu humain, quels qu'en
soient la misère apparente ou le nombre effarant, est la
création personnelle de Dieu [19].

La même rigueur philosophique qui doit nous libérer
de toute représentation de l'irreprésentable nous permet
aussi d'affirmer la valeur absolue de tout homme, dès sa
plus lointaine origine. En préhistoire, donc, tout individu
rencontré que l'on peut qualifier d'*homo,* si précoce qu'en
puisse être la date, représente réellement le genre humain
lui-même à un moment donné. En ce sens un fossile dit
humain est humain tout entier ou ne l'est pas du tout;
jamais, pas plus en préhistoire que dans le cours du temps,
on n'est homme à moitié. Si infime qu'il nous semble au
début, le genre d'individus qui constitue le genre humain
apparaît tout d'un coup, quelles qu'aient été les obscures
lenteurs de ses préparations et que soient celles, plus
troublantes encore, de son développement. De fait, on a
parlé de la « relative torpeur du paléolithique inférieur »,
de sa « monotonie » [20]. En tout cas, le premier des fossiles
qualifié d'humain porte sur ses épaules l'avenir entier de
l'espèce à laquelle ainsi il appartient; la noblesse du genre

18. Sur la relation de l'homme à son fondement transcendant, RAHNER,
op. cit., p. 92-98.
19. Claude BRUAIRE, « Approches d'une ontologie de l'esprit », in *Pour la
métaphysique,* coll. « Communio », Fayard, 1980, p. 275-282, présente avec une
grande force la signification de la création comme « don » qui définit l'esprit
dans son *être* et dans sa *liberté.*
20. Arnold TOYNBEE, *La Grande Aventure de l'humanité* (1976), Elsevier
Sequoia, 1977, p. 33-34.

se dessine déjà en ses modestes traits. La dignité ne se morcelle pas.

Dès que l'aube de l'Homme a blanchi l'horizon, c'est d'un même soleil qu'il restera illuminé. Si l'*habilis* est le premier des hommes, en lui la sève propre à l'homme, qui s'appelle l'esprit, monte déjà dans l'arbre et y produit ses premiers fruits encore un peu sauvages mais déjà prometteurs d'outil et de parole.

Ce qui vaut de l'esprit en tant qu'intelligence vaut aussi de l'esprit en tant que liberté. Sans doute, comme l'intelligence est là dans ses débuts, sous forme encore non réfléchie mais déjà opérante, ainsi la liberté est-elle aussi dans l'Homme inaugural comme une disposition élémentaire au choix, plutôt que comme une option explicite. Qui voudrait comparer les premiers êtres humains à Salomon, Confucius ou Bouddha? Tout est encore chez eux sous forme inchoative, repliée, inconsciente peut-être. La liberté est là, implicite et s'exerçant de manière encore enrobée. Cependant, même si l'instinct de conservation, notamment, joue encore un rôle prépondérant dans les adaptations nécessaires au monde et à autrui, la nouvelle profondeur qui leur vient de l'esprit se délie peu à peu des plus lourdes entraves. N'étant jamais dans l'Homme une sorte de supplément qui pourrait ne pas être, la liberté n'en est jamais totalement absente; il n'y a pas en lui d'acte réellement neutre [21]. « La morale est apparue dans la biosphère en même temps que la conscience [22]. » Semblable sur ce point à l'intelligence, la liberté dès qu'elle existe, est toujours engagée, même si l'individu qui en bénéficie ignore de manière réfléchie sa présence.

Nous retrouverons plus loin l'importance de ces données philosophiques, lorsque nous aurons à résoudre le problème qui requiert ces délicates analyses. Pourtant quelque chose d'habituellement masqué nous apparaît déjà.

---

21. RAHNER, *op. cit.*, p. 117-127. Sur l'importance de la liberté et de décision dans le récit de la Genèse, GRELOT, *op. cit.*, p. 76-85.
22. TOYNBEE, *op. cit.*, p. 29.

LE RETOUR AU MESSAGE BIBLIQUE

Pas plus que la Bible ne fait obstacle à la réflexion philosophique qu'elle stimule plutôt, ou aux données scientifiques qui suppléent à ses manques dans les domaines qui ne sont pas les siens, la science ou la philosophie ne disqualifient le message de la Bible, réellement compris. C'est ainsi que le nom d'Adam, qu'elle donne de façon générique au premier homme, peut convenir aussi bien à l'*habilis* qu'à tout autre individu plus primitif encore, pourvu qu'il soit humain et présumé premier. De même n'est-elle pas contredite par la philosophie lorsqu'elle met en relief les déterminations essentielles de l'homme, comme la parole, la domination sur le monde, l'ouverture affective et la liberté spirituelle. Le récit biblique, s'il reste « parabole » et seulement cela, garde donc un vrai sens pour nous : il nous « parle » et il a, dans l'ordre de notre transcendance, bien des choses encore à nous dire.

En évoquant un dialogue initial de l'homme avec Dieu et en nous en parlant comme d'un « paradis », le récit ouvre sur notre identité des profondeurs insoupçonnées. Évidemment, si le récit est symbolique, le Paradis n'est pas un lieu géographiquement défini, c'est une situation où le rapport avec Dieu va de soi. Ce rapport est le propre de « l'image de Dieu » et découle dans l'homme de sa création elle-même. N'étant pas l'Infini comme tel, puisqu'il vient au jour grâce au monde, mais relevant de l'Infini à titre personnel, l'homme se rapporte à lui par voie de différence et donc d'ouverture et de corrélation. En effet la dépendance originaire de l'homme à l'égard de Dieu qui le crée suppose une distance intérieure à une affinité; s'il y a dialogue possible entre l'homme et son Dieu et donc « paradis » en un tout premier sens, c'est que l'homme en son être profond est strictement inséparable du mystère de Dieu [23]. Le message biblique, dont

---

23. C'est la pensée de Grégoire de Nysse sur le paradis, voir Hans Urs von Balthasar, *Présence et pensée*, Paris, Beauchesne, 1941, p. 38-41.

nous avons dit qu'il était un kérygme sur l'Homme, trouve
ici son objet singulier. Certes, les autres traits, que la Bible
reprend à son compte pour servir d'aide-mémoire à une
humanité oublieuse de soi, font bien partie de son message
et doivent être constamment rappelés; mais ce que la
parabole du Paradis primordial nous enseigne, c'est à quel
point l'infinité virtuelle de l'homme, esprit et liberté, est
faite pour l'Infini réel de Dieu dont elle est dans le monde
une « image » en creux et aussi son premier répondant.

Cette infinité de manque et d'ouverture sur Dieu, la
tradition chrétienne y a lu, malgré des oublis momentanés
dont il nous faut sortir, le désir naturel dans l'homme de
la vision de Dieu [24]. « Tu nous as faits pour toi, Seigneur,
dit splendidement Augustin, et notre cœur est inquiet tant
qu'il ne repose en toi » [25]. Comme Irénée le dit aussi :
« La Gloire de Dieu c'est l'homme vivant et la vie de
l'homme c'est la vision de Dieu [26]. » « Plus une créature
est grande, redira-t-on plus tard, plus son désir de Dieu
est immense [27]. » C'est bien le cas de l'homme : son
intelligence ordonnée à la totalité de l'être possède de ce
fait un désir spontané de voir Dieu en lui-même, sans
pouvoir y arriver par soi, nous explique un auteur du
XIVe siècle [28]. Dans un langage qui se ressent symboliquement de la *Physique* d'Aristote, un théologien du XVIe
peut nous dire de Dieu qu'il est « le lieu naturel de
l'esprit [29] ». Ce que Zundel de nos jours exprime dans un
axiome qui définit la profondeur spirituelle de l'homme :
« Ne vouloir jamais moins que l'Infini [30] ! » Aussi, « l'essentiel de l'homme n'est pas d'accomplir sa nature, mais de
la dépasser » [31]. Programme si vaste, vision si sublime,
paradoxe si déroutant, si accordé pourtant au message
biblique sur l'« image de Dieu », qu'il revient de plein
droit à la révélation d'« aider l'Homme dans le déchiffre-

24. Henri de LUBAC, *Le Mystère du surnaturel*, Paris, Aubier, 1965. RAHNER,
op. cit., 150-158.
25. *Confessions*, I, 1, 2.
26. *Contre les hérésies* (traduction dom Rousseau), IV.20.7.
27. Duns SCOT, cité Henri de LUBAC, *Augustinisme et théologie moderne*,
Paris, Aubier, 1965, p. 215.
28. Gérard de BOLOGNE, cité De LUBAC, *op. cit.*, p. 148.
29. ESTIUS, *ibid.*, p. 219.
30. Dans Marc DONZÉ, *L'humble présence, Inédits de Maurice Zundel*, tome I,
Éditions du Tricorne, Genève, 1985, p. 87.
31. De LUBAC, *op. cit.*, p. 213.

ment de lui-même » [32]; alors il aura le courage d'aller aussi loin qu'il faut dans la connaissance de soi.

L'infinité virtuelle de « l'image de Dieu » explique aussi la créativité inépuisable de l'humanité dans l'histoire. N'ayant d'autre limite que l'Infini lui-même qui n'en connaît aucune, l'Homme est fait pour s'épanouir en tout sens, de bien, de beau, de vrai, d'unité et de vie. Il n'en finit jamais d'inventorier le monde, de se comprendre lui-même, de découvrir les autres, de chercher ce qu'il veut, de dire ce qu'il pense, de chanter ce qu'il aime et de créer ce qu'il rêve de voir encore éclore. Tout le meilleur en lui rayonne d'un au-delà de lui qui l'investit et le couronne. Chacun, pour qui sait voir, reçoit d'une ressemblance inaltérable avec le Tout autre que lui, une sorte d'*aura* qui lui confère une valeur sacrée. L'amour conjugal surtout, voulu, rêvé, béni par Dieu, fait partie à un titre spécial de l'infinité de « l'image de Dieu »; son élan spontané, son émerveillement, son ivresse première, non moins que sa durée dans la fidélité, préfigurent et amorcent le mouvement irrésistible, encore que souvent combattu, vers cet Autre absolu dont la différence suprême doit pouvoir permettre une union où tout désir est accompli... Sans doute, puisque l'infinité humaine est fondamentalement liberté, des erreurs sont possibles. Que le désir suive des lignes de force contraires à celles de sa transcendance native et le voilà parti dans des dérives destructrices, mais, si profonde que soit l'errance, la relation originaire de l'homme à Dieu n'est jamais supprimée. Du sein de sa faute, l'homme éprouve tôt ou tard le sentiment d'être sorti du « paradis » ou de n'y être jamais encore totalement entré et pourtant d'être fait pour s'y trouver un jour.

Effet de manque et source de désir, l'infinité de l'« image de Dieu » dépasse donc l'homme autant qu'elle le constitue; il la voit s'élargir dans l'acte même où il cherche à la nier; elle se creuse en lui à mesure qu'il prétend l'apaiser en se passant de l'Infini qui la lui donne; elle est finalement l'attente d'un divin « recevoir » où la distance à Dieu née de la création n'est pas seulement le creusement d'un manque et la naissance d'un désir mais la condition finalement bienheureuse d'une étreinte et d'une commu-

---

32. De LUBAC, *op. cit.*, p. 176.

nion. Alors le « paradis » désigne dans le mystère de l'Homme non seulement la dimension primordiale d'un dialogue possible et nécessaire avec Dieu, mais l'union absolue que l'Incréé offre à sa créature pour qu'elle ne reste pas un être à tout jamais frustré.

Quelle que soit sa grandeur, la liberté humaine, pour le récit des origines, devient une liberté pécheresse. Non pas nécessairement, puisqu'elle est liberté; mais originellement, c'est-à-dire en sa source, et de son propre fait. Demeurant libre, le péché va de quelque manière de soi dans l'Homme. Pourtant, s'il s'incorpore à notre histoire, c'est par décision qu'il le fait et non par nécessité contraignante de nature qui permettrait de voir en lui une œuvre immédiate de Dieu. Dans ces affirmations élémentaires, la doctrine du péché originel est en germe; sa claire conscience n'éclora qu'avec saint Paul à la lumière salvifique du Christ, comme nous le verrons, et ne devra plus s'en séparer. Encore silencieux sur le péché originel, le récit de la chute est néanmoins formel sur le rapport de la mort au péché. C'est pour l'instant le seul point ici envisagé. En effet, sans qu'il le précise jamais, mais sans que nous puissions cependant en douter, le récit de la chute vise, à travers le péché, la mort biologique et affirme clairement qu'elle est corrélative de la faute d'Adam. Non pécheur, l'Homme ne serait pas mort; pécheur, il meurt de deux manières, spirituelle et physique affirme la Genèse, car la mort du corps symbolise à ses yeux la mort spirituelle et s'explique finalement par elle.

LIBERTÉ PÉCHERESSE DE L'HOMME ET RÉALITÉ DE LA MORT

L'*exégèse* catholique a mis du temps à prendre le recul nécessaire devant une telle affirmation; c'est chose faite désormais : *le péché se rapporte à la mort spirituelle, mais il n'est pas la raison d'être de la mort biologique* [33]. Ce qui

---

33. Joseph HUBY, *L'Épître aux Romains,* nouvelle édition par S. Lyonnet, Paris, Beauchesne, 1957, p. 197, n. 1. Position généralement adoptée selon Stanislas LYONNET, « Péché originel », in *Supplément au Dictionnaire de la Bible,* Paris, Letouzey, 1966, VII, col. 537-538.

soulève un tout autre problème que nous retrouverons, mais qui évite une absurdité d'ordre scientifique. Avec quelque retard l'enseignement *théologique* a suivi. « Le péché n'est pas cause de la mort biologique comme telle, nous dit-on, ainsi que de la douleur et de la mort en général. Le vieillissement, la mort et la douleur comme le plaisir sont spécifiques de la structure vivante. La mort est biologiquement l'aboutissement nécessaire de la vie [34]. » On se souvient que c'est sur de tels propos que les ennuis « théologiques » de Teilhard jadis (en 1922) commencèrent [35]. Tout en se réjouissant d'un tardif progrès, il faut expliquer pourquoi on a tant hésité à consentir à l'évidence; il faut aussi corriger la présentation de la foi sur ce point et remettre en lumière un aspect du mystère qui en fut obscurci.

Disons d'abord que pour la Bible la mort en somme va de soi. Pensons à la sérénité des patriarches devant elle [36]. Non pas qu'elle n'inspire, lorsqu'elle frappe la jeunesse, des cris de douleur mémorables, comme le chant de l'Arc pour la mort de Jonathan, un ami [37], ou pour celle d'Absalon, un fils [38]. Elle jette le Psalmiste dans une grande détresse, à laquelle l'Ecclésiaste n'est pas davantage étranger [39]. Pourtant c'est moins d'explication, au sens scientifique du mot, que l'homme de la Bible a alors besoin que de signification spirituelle. Moins grave que le péché, la mort est un mal sans doute – le roi Ézéchias le sait bien, qui obtient un sursis de quinze ans [40] –, mais tout ce mal

---

34. Charles BAUMGARTNER, *Le Péché originel*, Paris, Desclée, 1969, p. 160. Je prends cet ouvrage comme repère. Il se présente en effet comme un ouvrage de théologie courante et non pas comme une recherche de pensée personnelle. Son souci est d'exprimer dogmatiquement l'essentiel de la foi de l'Église sur le péché originel en fonction du concile de Trente. Déjà sur le même sujet, M.-M. LABOURDETTE, *Le Péché originel et les origines de l'homme*, Alsatia, 1953, sur la doctrine de Trente, LABOURDETTE, *op. cit.*, p. 27-59; RONDET, *op. cit.*, p. 200-208; DUBARLE, *op. cit.*, p. 81 : pour ces deux derniers, voir chapitre suivant.

35. Sur ce point d'histoire, René d'OUINCE, *Un Prophète en procès. Teilhard de Chardin dans l'Église de son temps*, Paris, Aubier, 1970, p. 100-119. Sur le contexte d'ensemble et sur les lenteurs à accepter un accord réel entre les acquis scientifiques sur la création et les origines de l'homme et le donné révélé, voir aussi le chapitre, « Au lendemain du modernisme », *op. cit.*, p. 84-95.

36. Gn 25,7-10; 35,27-29; 49,29-33.

37. 2 S 1,17-27.

38. 2 S 19,1-6.

39. Par exemple Ps 39 et 84 fin; Si 1,1-11.

40. Is 38, 1-18.

s'éclaire si l'on regarde les choses du point de vue moral. La mort physique devient alors un effet du péché; elle s'adoucit ainsi puisqu'elle y trouve une raison, qui au surplus décharge Dieu. Si la mort fait souffrir, on ne l'a pas volé! Mort et péché ou plus exactement mort et châtiment du péché marchent de pair; leur relation finalement est saine! Paul non plus ne doutera pas du bien-fondé de leur liaison, sans rien dire d'ailleurs qui empêche de la mettre en question [41]. En tout cas, il ne sent pas l'anomalie du lien causal entre les deux ou du moins il ne nous en dit rien.

Un état primitif qui soit paradisiaque, c'est-à-dire sans mort puisqu'il est sans péché, est, sur cet horizon, aisément concevable. Aucune vision de la nature et de ses lois n'est assez forte, si elle existe, pour s'opposer à l'idée que la mort biologique peut et doit s'expliquer par une erreur morale dont l'Homme est responsable. Se durcissant de plus en plus dans l'esprit des exégètes et des théologiens, qui méconnaissent ou qui ignorent le genre littéraire de ces premiers chapitres, les origines de l'humanité, bibliquement attestées croira-t-on, deviennent alors mythiques. Dans le désir d'honorer la création de l'homme par Dieu, on va soustraire le premier Homme à la contrainte de la mort et aux rudesses naturelles de la vie. On parlera donc des « divers dons (qui) pour le corps et pour l'âme remédiaient aux défectuosités et lacunes de la nature [...] Nommons, poursuivra-t-on, l'exemption de l'ignorance et de l'erreur, la préservation de la convoitise, l'immunité vis-à-vis de la douleur et de la mort et les pures joies du paradis terrestre [42] ». On croit rêver et nos auteurs rêvent

41. Malgré le sens controversé de « phtora » où l'on peut discerner, écrit-on (Lyonnet, *art. cit.,* p. 540), le mélange de péché et de mort, on peut penser que le péché en 1 Co 15,45-50, sans être perdu de vue par saint Paul, passe quand même au second rang par rapport à la condition « somatique » et donc « naturelle » (intérieure au cosmos) de l'homme. Ainsi, malgré l'exégèse d'Augustin (voir plus bas note 55 qui semble impressionner ici l'auteur que nous citons), le passage de la Première aux Corinthiens sur le rapport des deux Adam ne s'oppose pas, s'il ne favorise pas aussi clairement que j'ai pu parfois l'exprimer (aux exégètes de trancher la signification littérale du passage), à une vision de l'homme dans laquelle la mort biologique n'est pas due *seulement* au péché. Celui-ci joue certainement un rôle dans la mort, important mais second et qui n'est pas d'abord *causal*. Cette ouverture suffit et rend possible l'accord de l'Écriture avec une évidence d'ordre biologique sur la nécessité de la mort.

42. A. THOUVENIN, « Intégrité », dans VACANT, *Dictionnaire de théologie catholique,* Letouzey, 1927, VII, 2, 1939.

vraiment, sinon, ne percevraient-ils pas l'incohérence de telles affirmations dont les bénéficiaires, exempts, nous dit-on, « de l'ignorance et de l'erreur » et de « la convoitise » d'une foncière méprise encore, vont tous deux commettre aussitôt une énorme bévue sur eux-mêmes et sur Dieu? Au surplus, que reste-t-il de réel dans un individu privé d'abord de tous les traits qui signent la finitude de notre humanité?

Une seule réponse s'impose : reconnaître que l'«économie paradisiaque de la grâce », qui commande de telles rêveries, « n'a jamais existé » [43]. Fort bien! Mais comment peut-on désormais nier aussi allègrement ce que l'on a si longtemps présenté comme des précisions essentielles à la justesse de la foi? Sans doute, avait-on oublié ou pas encore compris que la « transformation radicale et totale de l'homme par la grâce n'a lieu qu'à la fin des temps, non au commencement ». On a donc projeté au début, précise le même auteur, « en vertu du principe contestable de la perfection des origines » ce qui n'a lieu qu'au terme [44]. En outre on a complètement négligé le caractère naturel de la mort biologique et de ce qui l'explique en chacun des vivants. Faute de quoi, au lieu de voir dans le récit du « paradis » un symbole de l'amour de Dieu qui nous crée et de la communion divinisante à laquelle nous sommes tous appelés, on en a fait un *lieu* où l'homme, dès que créé, serait « entré » et dont le péché l'aurait fait « sortir », en le soumettant de surcroît à la douleur et à la mort. Comme si le premier être humain, ou tout autre après lui, pouvait jamais détruire l'amour d'élection dont il devient l'objet de la part de Dieu et que le paradis symbolise! « Sortir », « être chassé » du « paradis » qui sanctionnait le dédain d'un Amour dont la liberté avait sous-estimé et négligé le prix passait du domaine spirituel qui, dans la parabole, devait rester le sien, à l'ordre biologique, non sans certain profit. Dépourvue en effet de la consistance naturelle qui eût suffi à l'expliquer, la mort biologique trouvait dans le péché une signification symbolique satisfaisante, qui mettait en relief la justice propre à Dieu. Le rôle symbolique de la mort à l'égard du péché

---

43. BAUMGARTNER, *op. cit.*, p. 160.
44. *Ibid.*, p. 158.

– c'est « mourir » que « pécher » ! – cédait ainsi la place à une vraie causalité – on meurt parce qu'on a péché ! – et la naturalité de la mort se voyait effacée de l'horizon des origines.

Pareille construction ne pouvait que s'écrouler devant le savoir scientifique qu'on allait acquérir du monde de la vie.

Les terrains secondaires, géologiquement identifiés au XVIIIᵉ siècle comme des couches fossilifères, introduisent les hommes à l'évidence que la mort fait partie intégrante du cycle de la vie, bien avant que l'homme ait existé et pu introduire par son péché la mort dans la nature. La mort n'est donc pas d'abord et en soi un phénomène spirituel dû à la liberté; c'est un fait naturel qui tient à la structure du vivant. Vivant, l'homme est mortel au titre de la vie biologiquement reçue. Il ne meurt pas d'abord parce qu'il pèche, puisque les ammonites et des millions d'espèces animales, au cours de l'histoire de la terre et de l'évolution, sont apparues et que tous les individus qui les composaient ont naturellement disparu. L'homme meurt parce qu'il vit et que d'autres doivent vivre à leur tour. La mort est une composante de l'ordre biologique et pas d'abord de la moralité. Que l'éthique ait quelque chose à voir dans la mort de l'homme, c'est certain; mais sous forme *modale* et non d'abord *causale*[45].

Devenant ainsi essentielle au vivant, la mort passe du domaine de la liberté à celui de la nature et de la création; ce n'est plus l'homme qui se la donne, mais bien le Créateur qui la fait, en fondant la nature. Sans doute ne « veut »-il pas la mort, comme dit la Sagesse (2,12), sous la forme d'un dessein maléfique qui se plairait à infliger aux autres des misères qu'on ignore; pourtant Dieu la permet puisqu'il institue un ordre de la vie qui implique, pour l'homme notamment, le mal de la mort. De cette vérité, l'âge moderne s'est fait une évidence d'autant plus scandaleuse, dit-il, que la réflexion chrétienne sur ce point

---

45. Ce qui est impliqué lorsqu'on dit que la mort physique (biologique) symbolise la mort spirituelle du péché mais ne s'explique pas par lui.

n'a que rarement insisté. Pis encore, tout s'est passé comme si, en régime chrétien, l'homme perçu comme pécheur portait *seul* la responsabilité de la douleur et de la mort; Dieu se trouvait ainsi innocenté à bon compte d'une accusation redoutable dont tout le poids retombait sur les hommes et plus spécialement sur l'infortuné et en cela très mythique Adam [46]. Par un renversement aussi peu mesuré que l'était l'opinion précédente, Dieu s'est vu désigné comme le grand coupable : n'a-t-il pas créé un monde où l'homme est soumis, par structure et en toute innocence, à la pire des lois qu'est celle de la douleur et de la mort? Nous reviendrons plus loin sur ce problème à partir de la doctrine du péché originel qui longtemps l'a masqué. Pour le moment un autre aspect de la question peut et doit se faire jour : il concerne le rapport du Christ à notre création.

LE PARADIS DES ORIGINES
COMME SYMBOLE DU CHRIST

En cessant d'être un « lieu » privilégié et en devenant un symbole initial de l'élection d'amour qui préside dès l'origine à notre création, le paradis acquiert la plénitude de son sens. « N'étant pas autre chose que l'annonce voilée, le symbole du ciel, de la Jérusalem céleste, de la vie éternelle auprès de Dieu, promise dès les origines de l'homme par la bienveillance du Créateur », il est aussi « *le symbole du don de la grâce faite à l'humanité dès son apparition sur la terre,* à savoir du commencement effectif, mais caché, de la vie divine et éternelle qui ne se manifestera et ne s'épanouira en plénitude qu'à la fin des temps », explique encore le même auteur [47]. Peut-on être,

---

46. Sur le rôle d'Augustin dans cette représentation d'Adam et sur sa pensée à ce sujet, Henri RONDET, *Le Péché originel dans la tradition patristique et théologique*, Paris, Fayard, 1962, p. 135-147, A.-M. DUBARLE, *Le Péché originel, Perspectives théologiques*, Paris, Cerf, 1983, p. 34-53; LYONNET « Le rôle de Rom 5,12 dans l'élaboration de la doctrine augustinienne du péché originel » in *L'Homme devant Dieu, Mélanges offerts au Père Henri de Lubac*, Aubier, 1963, I, p. 329-342.
47. BAUMGARTNER, *op. cit.*, p. 158. C'est moi qui ai souligné.

théologiquement parlant, plus clair ? Le paradis est donc le symbole primitif de la « vie éternelle » à laquelle nous sommes tous appelés par Dieu, du fait qu'il nous crée. Or, comme « la vie éternelle, dit Jésus, c'est qu'ils te connaissent, toi, le seul vrai Dieu, et celui que tu as envoyé, Jésus-Christ » (Jn 17,3), être, dès que l'on est créé, élu pour vivre à tout jamais de Dieu, c'est être élu en Jésus-Christ. C'est bien ce que l'Épître aux Éphésiens confirme. En bénissant « le Père de Notre Seigneur Jésus-Christ », elle nous voit : « Choisis en lui avant la fondation du monde, pour que nous soyons saints et irréprochables sous son regard dans l'amour. » Car c'est dans cet amour qu'« il nous a prédestinés à être pour lui des fils par Jésus-Christ... son Bien-aimé » (Ep 1,4.5.6). Le paradis de la Genèse n'est donc rien d'autre qu'une image voilée de Jésus-Christ lui-même, « en qui tout a été créé », dans les cieux et sur la terre et « en qui tout est maintenu » (Col 1,10,17). Étant ainsi, depuis toujours et tout au moins « dès avant la fondation du monde », Celui qui doit « tenir en tout le premier rang » (Col 1,19), le Christ le possède aussi sur Adam et sur chacun de nous. Notre création se fait donc pour Dieu à la lumière du Christ et c'est cette lumière du Christ qui est pour nous un « paradis ».

Dès lors, contrairement à ce qui a été souvent dit, et par de grands auteurs [48], que le paradis de la Genèse représenterait une « première » économie de la grâce, indépendante de Jésus-Christ qui ne serait donné au monde qu'en raison du péché [49], il faut refuser l'idée d'une double économie créatrice : l'une paradisiaque sans péché et sans Christ et l'autre de péché où le Christ intervient, mais comme rédempteur. Toute l'économie de la grâce est toujours dans le Christ. « Déjà avant la chute, la grâce était grâce du *Verbum incarnatum*, grâce du Christ [50]. » L'absence de péché n'est pas une absence du Christ, pas plus que l'existence du péché à elle seule ne nous vaut Jésus-Christ. Le Christ relève tout entier dans notre histoire d'une élection d'amour que nous devons à « la grâce dont

---

48. Ainsi M.-J. SCHEEBEN, *Les Mystères du christianisme*, traduction française 1947, p. 207-249.
49. Sur l'ensemble de ce problème, voir ici le chapitre quatrième.
50. BAUMGARTNER, *op. cit.*, p. 159. Henri RONDET, *Gratia Christi*, Paris, Beauchesne, 1957 et *Essais sur la théologie de la grâce*, Paris, Beauchesne, 1964.

Dieu nous a comblés dans son Bien-aimé » (Ep 1,6) dont il a fait ainsi « le Premier-né de toute créature » (Col 1,15). Le péché comme incompréhension, méconnaissance ou même refus d'une telle élection nous vaut la rédemption. L'incarnation, quant à elle, lui demeure antérieure et s'enracine dans un dessein de Dieu qui entend faire de nous des « fils » en dépit de nos refus possibles. Ce n'est donc nullement au péché que nous devons le Christ, mais à l'amour de Dieu qui se fait homme pour nous diviniser. Le péché n'explique pas l'incarnation, mais il fait que cette incarnation est, elle aussi depuis toujours, en raison de la prévision du péché, une incarnation rédemptrice, comme le dit la Première Épître de Pierre [51]. « Communion avec le Père, le Fils et l'Esprit, la grâce du Christ divinise les hommes, comme disent les Pères grecs. Elle ne devient rédemptrice, libératrice, destructrice du péché, qu'à la suite d'une initiative libre de l'homme, permise par Dieu, et vu la faiblesse et la fragilité de la créature humaine, inévitable en fait [52]. »

Pour synthétiser cette vision du Christ, dont tant de fidèles et de prêtres pressentent le bien-fondé, malgré le silence où une certaine théologie scolaire s'obstine à son sujet, on peut dire simplement que le paradis de la Genèse, c'est le Christ lui-même. *Creavit Deus Adam et posuit eum in paradiso, id est in Christo. Dieu créa Adam et le plaça dans le paradis, c'est-à-dire dans le Christ,* en qui tout est créé et donc l'homme lui-même en premier. Telle était l'intuition des sculpteurs de Chartres qui nous présentent le profil d'Adam en parallèle avec celui du Christ, son archétype fondateur.

Ainsi s'achève, du point de vue de la révélation, la description du générique humain. L'identité de l'Homme comprend donc en soi-même non seulement le « premier Adam », au sens strictement naturel du terme, avec la station droite, la conscience de soi, la parole, le bonheur d'aimer, la mission de se perpétuer, l'ouverture radicale à l'Infini de Dieu, comme nous l'avons vu plus haut; elle comporte aussi, comme le dit saint Paul « le second et le dernier Adam » (1 Co 15,45.47) : le Christ ressuscité « qui

---

51. Le chapitre cinquième ici est un court commentaire de ce texte.
52. BAUMGARTNER, *op. cit.,* p. 160.

a tout sous ses pieds » (15,27), non pour nous écraser mais pour nous libérer, notamment de la mort. Loin donc de compromettre ce que nous avons à devenir en raison de notre liberté, ce don divinisant et de grâce et de gloire qui prend forme dans le « dernier Adam », rend possible au contraire l'accomplissement sur-humain de notre humanité; tout en comblant par l'Infini l'infinité de manque qui nous caractérise, il cicatrise aussi les blessures mortelles dont nous nous accablons par le refus que nous faisons de Lui et il se révèle au surplus comme le compagnon d'un devenir humain qui ne va pas de soi sans qu'il soit pécheur.

LE CHRIST EN AMONT DU PÉCHÉ ET SON ACCOMPAGNEMENT DE L'HISTOIRE

Que le seul péché n'explique pas l'incarnation ouvre à l'histoire humaine un horizon qu'on ne peut oublier. En effet n'étant pas seulement rédempteur, le Christ peut répondre à un type de détresse qui n'est pas de péché seulement, mais bien de finitude : détresse de douleur et de mort naturelle au grand sens innocent de ce mot. Sans doute, n'est-ce pas avant tout pour pallier un défaut inhérent à notre finitude que Dieu s'est incarné, mais pour nous associer à la Gloire de sa Vie. Mais il apporte ainsi une réponse étonnante et d'abord imprévue, à la déréliction naturelle de la souffrance et de la mort. Sans doute encore, la révélation est-elle discrète sur ce point, pourtant elle est loin de l'exclure : « Ce n'est pas à des anges que Dieu vient en aide, mais à la descendance d'Abraham » (He 2,16).

L'homme, en effet, n'est pas seulement, tant s'en faut, un être condamnable et pécheur, il est aussi un être « de chair et de sang » (He 2,14), un être « d'en bas », « biologique »[53], « terrestre » au sens le plus réaliste du mot (15,45.46.47). Saint Bernard le dira « flebilis »[54], c'est-à-

---

53. Biologique traduit sans doute mieux de nos jours « psuchicos » qu'animal qu'on emploie d'ordinaire.

54. *Homélie* 4,8-9, Éditions cisterciennes, 4 (1966), p. 53.

dire *touchant,* en raison de sa mortalité. Celle-ci, malgré
l'usage courant de la latinité chrétienne qui doit beaucoup
ici à Augustin [55], ne désigne pas nécessairement le péché.
L'auteur de l'*Épître de Barnabé* au IIe siècle l'avait bien
pressenti, qui disait avec une compassion infinie que
« l'homme était une terre souffrante » puisque « c'est avec
de la terre qu'Adam fut formé [56] ». Mortel par nature, en
raison de ses attaches essentielles à la terre, il est « terreux »
comme le dit Péguy, c'est-à-dire plus souvent empâté ou
boueux que méchant; il est plus fragile et souffrant que
pervers. Celui qui a fait l'homme serait-il moins sensible
que cet homme lui-même à la condition douloureuse et
modeste, souvent scandalisée, d'une race enfermée par la
vie dans la mort? Qui pourrait le nier, à défaut d'avoir
parfois le cœur de l'affirmer? Les Pères grecs pour leur
part ne se lassaient jamais de parler de la « philanthropie »
de Dieu, manifestée dans son incarnation et qui, prenant
tout l'homme et tout l'humain, ne s'adressait pas seulement
au pécheur.

De fait, l'incarnation doit encore approfondir son message en raison du caractère *naturel* de la souffrance et de
la mort. Tout se passe comme si le Christ, jeté par Dieu
dans les assises éternelles du monde, en tant que « second »
et comme « dernier Adam », était celui qui non seulement
nous divinise mais qui entend nous « assister », selon
l'expression de Justin [57]. « Invisiblement enfoncé dans sa
création tout entière comme Verbe », il se rend visible
dans son incarnation « à cause de notre état d'enfance [58] »
pour mieux nous seconder. Car le chemin d'histoire que
l'homme doit parcourir, de l'*habilis* (en supposant qu'il

---

55. Sur la conception augustinienne de la mortalité, comprise comme une
conséquence du péché, Stanislas LYONNET, dans « Augustin et Rm 5,12 avant
la controverse pélagienne », in *Nouvelle Revue théologique*, 1967, p. 842-849 et
déjà dans *Mélanges de Lubac*, I, 327-335, a montré comment le rapport des deux
dépend moins de Rm 5,12 que de 1 Co 15,42. Le résultat en tout cas est là :
« Nous sommes tous mortels du fait de la colère de Dieu »! (*De ira Dei enim
mortales sumus*) dans *Enarrationes in Psalmos*, 84,7, PL 36,1072. Voir plus haut
note 41.

56. *Épître de Barnabé*, 9a, « Sources chrétiennes », 172, p. 123, voir la note
sur l'incertitude qui concerne ce texte.

57. Dans le témoignage qu'il rend à la foi devant son juge. L'allusion à
l'incarnation du Verbe est faite par un verbe qui dit la *proximité*, comme l'a
bien vu A. Hammann dans la traduction qu'il en donne dans *La Geste du sang*,
Paris, Fayard, 1953, p. 37.

58. IRÉNÉE, *Contre les hérésies*, V, 18,3 et IV, 38,2.

est vraiment le premier des humains) jusqu'à nous, a, malgré sa grandeur, quelque chose d'un calvaire, en raison de son prix de douleur et de mort [59]. Certes, le désir de vivre, « le goût sacré de l'être [60] » ou simplement encore la joie soudaine d'exister sont là et furent toujours là pour relever le courage des hommes. Mais pourquoi celui qui aime tant les hommes ne les assisterait-il pas tout d'abord dans leur devoir élémentaire d'« exister »? Agissant en secret par l'Esprit dans le cœur des hommes, le fait-il seulement pour les garder ouverts à l'Infini qui leur paraît parfois si dérobé ou ne le fait-il pas aussi pour garder intacts en leur cœur cette endurance à vivre, ce pouvoir d'espérer sans lesquels l'histoire humaine depuis des millénaires aurait eu des milliers de raisons de perdre souffle devant une aussi difficile partie?

Avant donc de nous faire communier à sa Vie, par divinisation, ou plutôt pour que nous puissions nous-mêmes plus aisément le faire, Dieu ne veut-il pas dans le Christ communier par anticipation aux peines et joies immémoriales de l'humanisation? Entrant avec nous dans le poids naturel d'un monde qu'il a créé lui-même, Dieu, du fait qu'il s'incarne, devient, dès l'aube de l'histoire, l'accompagnateur assidu et caché du destin multi-millénaire des hommes. Du plus profond de l'expérience humaine et depuis ses plus humbles débuts, il est ainsi « avec nous », partageant en silence notre condition historique, non seulement en ce qu'elle a d'exaltant mais aussi de peineux, de tragique et bien souvent d'innocemment intolérable. Avant de nous réconcilier avec Lui, et en vue de le faire, en tant que nous devenons nous-mêmes des pécheurs, le Christ est aussi Celui par qui Dieu, depuis les origines, se rend présent en toute profondeur et extension à la part difficile de l'histoire des hommes; il lève ainsi, autant qu'il est en lui, l'objection redoutable que fait peser sur lui, s'il y reste étranger, la mort de finitude et la douleur naturelles à notre condition.

Même peu explicité jusqu'alors, parce que la situation spirituelle du monde était autre, cet aspect du mystère du

59. « Rien ne ressemble autant que l'épopée humaine à un chemin de la Croix » : dernière phrase du *Phénomène humain,* Seuil, 1955, p. 348.
60. *Le Milieu divin,* Paris, Seuil, 1952, p. 79. Teilhard demande ici à Dieu « Le désir de désirer l'être ».

Christ était là, immanent et caché dans la foi de l'Église. On en découvre maintenant la profondeur « ancienne et nouvelle » qui permet d'apporter sur le mystère de Dieu ce jour d'humanité sans lequel la création de Dieu contiendrait désormais à nos yeux un insurmontable scandale. En humanisant depuis les origines le visage de Dieu, l'incarnation, ainsi comprise, permet en outre de dédramatiser la faute originelle, en suivant sur ce point Irénée de Lyon plus qu'Augustin d'Hippone.

2

Qu'en est-il donc de ce péché originel?

Paradoxalement, du moins en apparence, ce n'est pas le récit de la chute qui fonde l'affirmation chrétienne sur l'existence d'une faute originelle; l'Ancien Testament l'ignore et l'ensemble du témoignage évangélique s'en tait aussi. Seul le mystère, pleinement développé par saint Paul, du salut par la Croix permet d'en parler ou plutôt oblige à le faire, comme saint Paul l'a admirablement compris, même si par la suite son point de vue a été en partie déformé. C'est donc Romains 5 et non Genèse 3 qu'il faut d'abord considérer pour trouver le contenu de cette affirmation qui repose tout entière sur la Seigneurie du Christ à l'œuvre dans sa croix.

LE POINT DE DÉPART CHRISTOLOGIQUE

Dès qu'il s'agit de l'œuvre de Dieu dans le monde et de ses rapports d'amour avec nous, la Seigneurie du Christ est le seul fondement absolu. Alors, comme l'enseigne saint Paul, « il faut qu'il ait la primauté en tout » (Col 1,18). Cet axiome, si étonnantes qu'en soient les conséquences dans l'ordre du péché, ne souffre pas d'exception. En effet, bien que personne ne puisse le convaincre de péché, et à cause même de cela, il prend sur lui comme Sauveur toute notre iniquité pour que, de pécheurs que nous sommes par nous-mêmes, nous devenions en lui « justice de Dieu » (2 Co 5,21). Aussi bien est-il strictement impensable que le Christ « qui enlève le péché du *monde* » (Jn 1,29) et qui « donne sa vie en rançon pour *la multitude* » (Mt 20,28), puisse le faire sans être le Seigneur, c'est-à-dire sans atteindre réellement *tous* les hommes. S'il est Sauveur comme Christ et Seigneur de l'histoire, il l'est pour quiconque et pour tous et nous pouvons tenir en toute sûreté l'affirmation apostolique qu'« il n'y a *sous le ciel aucun autre nom offert aux hommes qui soit nécessaire au salut* » (Ac 4,12) ou qui puisse dispenser de celui de Jésus.

Cette universalité du salut opéré par le Christ commande aussi en contrepoint l'affirmation de l'universalité du péché par rapport au Sauveur. Fixons bien cette lumière, paradoxale pour la raison humaine. Ce n'est pas l'expérience qu'on peut faire de l'universalité du péché qui justifie l'affirmation de la foi sur l'universalité du salut par la Croix. Ici Pascal est débordé par Paul. Le Crucifié, nous dit la foi, l'est pour le monde entier sans exception; il ne l'est donc pas en vain et nul homme n'existe qui n'aurait pas besoin du salut qu'il apporte et qu'il est. Cette certitude ne résulte pas d'une expérience approfondie que nous ferions du monde par une sorte d'induction, comme le suggère Pascal dans *Les Pensées* sur le péché originel; cette induction nous permettrait de dire que tout homme est pécheur et doit donc émarger au salut apporté par la Croix. Cette démarche n'est ni fausse ni vaine, mais elle ne saurait remplacer la voie tout entière déductive, intérieure au mystère de la foi, au terme de laquelle tout homme est dit pécheur parce que le Christ est pour tout homme reconnu Sauveur. Bref, on ne découvre pas l'universalité du salut à partir de l'universalité du péché, mais on postule l'universalité du péché à partir du mystère divinement compris de l'universalité du salut. La lumière décisive vient ici du « côté » du Seigneur qui sauve de tout péché et non pas du péché qui conduirait au Christ.

Et pourtant, offert comme Sauveur à l'humanité tout entière, le Christ ne révèle pas que l'humanité est entièrement pécheresse comme s'il n'y avait que du péché en elle. Comme le Christ Sauveur *n*'est pas *que* cela, l'humanité qu'il atteint tout entière *n*'est *pas* davantage *que* pécheresse. Personne, faisant réellement partie de l'humanité, ne peut se passer du Sauveur, mais le Sauveur ne

lui révèle pas ainsi que l'homme n'a d'autre identité que
celle du pécheur. Si important que soit en nous le péché,
il ne recouvre pas tous les rapports que nous avons avec
le Christ, ni donc la seule façon que le Christ a de se
rapporter à nous. Cette précision étant faite dont nous
devinons la portée, reste qu'il faut exprimer l'universalité
du péché dans l'homme en fonction de l'universalité du
salut dans le Christ.

Apparemment insoluble pour nous, ce problème ne l'est
pas pour saint Paul qui dispose en la personne d'Adam
d'un éponyme de l'humanité comme telle, envisagée dans
sa divine création mais aussi dans sa responsabilité pécheresse. Adam sera donc, dans le contre-jour du Christ
universellement Sauveur, la figure de l'universalité des
pécheurs. Mais qu'on le comprenne bien : saint Paul ne
part pas d'Adam pour comprendre le Christ; ce n'est pas
parce qu'il sait *d'avance* qu'Adam est la source du péché,
qu'il en déduit que le Christ est l'universel sauveur; c'est
parce qu'il sait *d'abord* dans le kérygme de la foi que
Jésus est Sauveur et qu'« il n'existe pas d'autre nom dans
le monde par lequel nous devions être sauvés », qu'il
cherche et trouve en Adam le répondant universel dans
l'ordre du péché; ainsi pourra-t-il faire valoir le Christ
comme le Sauveur universel dans l'ordre de la grâce. Ce
répondant négatif, est donné tel quel dans la culture de
Paul : c'est Adam! Adam représente l'humanité dans sa
source et dans sa liberté; il permet donc de qualifier
comme pécheresse toute la race humaine. Puisqu'il inaugure l'humanité dans la faute, il fournit, éclairé par le
Christ, l'image négative qui permet de parler de l'unité
pécheresse de l'homme par rapport à l'unité de salut et
de grâce que nous donne le Christ.

Saint Paul, prenant ainsi Adam comme unité patrony-
mique de l'humanité, n'ajoute rien d'abord aux vues de
la Genèse. Pour celle-ci, Adam est avant tout le figurant
inaugural de l'histoire, le représentant symbolique de
l'humanité sortant des mains de Dieu. Paul dès lors, qui
reprend à ce point la Genèse, tombe ou demeure tout
entier sous le coup de l'herméneutique qu'exige cet écrit.
Toutefois une précision s'impose. S'il est vrai que dans
un premier temps, on ne doit pas, comme nous l'avons

vu [1], majorer la misère de l'homme créé par Dieu en oubliant son inaliénable grandeur, on ne peut davantage, au nom de sa grandeur, omettre une misère qui compromet cette grandeur, sans la détruire en sa racine. Pour la Genèse la liberté qui fait notre grandeur périclite dans le péché. C'est le fait que saint Paul en Rm 5 retient avant tout autre. Il en force même l'importance, étant donné que le Sauveur a le pouvoir suréminent de sauver tous ceux qu'Adam fut capable de perdre. La nouveauté de Paul ne consiste donc pas à arracher Adam au genre littéraire dans lequel il paraît, mais à lui faire porter une charge qui n'est plus seulement *typique* de l'histoire dès son commencement, mais qui en est apparemment *causale*. Un tel surplus sémantique descend chez l'apôtre du mystère du Christ sur le rôle d'Adam, il ne remonte pas à l'inverse d'Adam vers le Christ. C'est dire que si Adam, ainsi mis en relief en fonction du Sauveur, devient au regard de saint Paul l'introducteur du péché et de la mort dans le monde, il ne peut sûrement pas porter le poids d'un tel rôle sans que le Christ l'en ait rendu capable. Ce n'est pas *par lui-même* qu'il joue un tel office, au demeurant strictement impensable dans les dimensions reconnues de l'histoire, mais l'importance d'Adam acquiert d'une certaine façon l'ampleur incomparable que le Sauveur possède en lui-même par rapport à l'histoire du péché. Adam devient ainsi le répondant tout entier négatif de l'œuvre salvifique du Christ.

MISE EN QUESTION D'ADAM ET SOLIDITÉ DU CHRIST

Si grandiose soit une telle vision du point de vue du Christ, que devient-elle lorsqu'on lui cherche un sens du point de vue d'Adam ? S'il est doublement impossible qu'« Adam » commande, par un péché commis au début de l'histoire, l'existence du péché en tous et en chacun jusqu'à la fin des temps, et que s'explique, par ce même

1. Plus haut, p. 17-19.

péché, une mortalité, connaturelle à tout vivant pour cause biologique et non morale, l'affirmation paulinienne sur le Christ sauveur n'est-elle pas ébranlée en retour? Peut-on toucher à la crédibilité de cet Adam que présente Paul en le tirant directement de la Genèse, sans toucher à la crédibilité du Christ à laquelle l'apôtre rapporte Adam lui-même? Si la représentation de l'universalité du péché de l'histoire humaine en Adam est *fictive*, que devient l'affirmation de saint Paul sur l'universalité du salut dans le Christ?

Sans doute y a-t-il dans cette affirmation un double plan de profondeur et donc de difficulté. C'est Adam qui est relatif au Christ et non pas le contraire, cependant les deux se tiennent et donc se servent ou se nuisent, réciproquement. Par ailleurs, c'est vrai, la représentation d'Adam comme synthèse inaugurale de l'humanité étant tout entière culturelle, sa fragilité n'entraîne pas nécessairement celle de la foi qui est d'un autre ordre. Cependant peut-on avoir ainsi lié, fût-ce par dépendance, Adam au Christ sans que le Christ soit affecté par le déclin historique et causal de celui qu'on lui a, sur un point essentiel, si fortement uni? Et s'il est impossible désormais de parler d'Adam, comme *principe* et *source* du péché pour la totalité de l'histoire, le déséquilibre dans la comparaison ne sera-t-il pas si évident que l'importance du Christ – ou du moins de son œuvre – sera réellement compromise et sombrera dans la même illusion que le rôle, soi-disant capital pour tous, d'Adam lui-même?

Toutes ces questions sont si graves qu'on hésite souvent à leur faire face, les réservant plutôt à des cénacles. Pourtant l'enseignement qu'on a donné sur Romains 5 et Genèse 3 a imprégné la conscience spontanée des chrétiens, en Occident du moins, de jugements dont on voit maintenant le caractère pernicieux et l'inutilité. Il faut donc corriger de pareilles idées, cette tâche exige une vision d'ensemble qui mette en œuvre d'autres catégories culturelles que celles utilisées par Paul, sans que soit compromis pour autant le message authentique de la foi.

D'ABORD GENÈSE 3
ET NON PAS ROMAINS 5

Le début de l'Épître aux Romains (1 à 4 notamment) propose une analyse de la condition pécheresse des hommes, Gentils *et* Juifs rassemblés; faite d'ignorance de Dieu, cette condition conduit à des dépravations de luxure ou d'orgueil. Nous pourrions partir nous aussi d'une telle analyse, mais puisque c'est Adam qui fournit à saint Paul le type même du pécheur par rapport au Sauveur en Rm 5, c'est plutôt le péché décrit dans le récit de la Genèse que nous allons considérer; il nous permettra de comprendre comment on a pu appeler « originel » un pareil péché.

Sa signification véritable n'apparaîtra d'ailleurs que si l'on évite le fondamentalisme exégétique qui a fait des ravages dans l'interprétation trop littérale, soit de Gn 3, soit de Rm 5, soit du rapport des deux. Rappelons-le, comme tantôt à propos de la grandeur de l'homme, l'auteur ne sait du début de l'histoire que ce qu'il *projette,* du présent qu'il connaît, sur le commencement qu'il ignore. Sage méthode. Car il est légitime, comme nous l'avons vu [2], que l'homme extrapole sur son identité; guidé par une fine intuition des rapports que Dieu entretient avec sa créature à partir de l'Alliance, l'auteur de la Genèse discerne dans la conduite actuelle de l'homme, des profondeurs qui resteraient peu sensibles à ses contemporains s'il n'en dotait nos origines. Ainsi l'analyse de la faute en Genèse 3, comme celle de la grandeur, comporte sa part de kérygme qui est considérable et qu'il faut respecter; elle confère à ce texte, qui se réfère au passé, une portée cependant « prophétique » [3].

---

2. Plus haut, p. 16-17.
3. GRÉGOIRE le GRAND, dans son *In Ezechielem,* I, 1ʳᵉ homélie, 2 (*PL* 26,767) envisage le cas où une prophétie, à l'inverse de l'ordinaire, porte non pas sur l'avenir mais paradoxalement sur le passé. Il s'en étonne plus qu'il ne s'en explique, mais il nous fournit ainsi le moyen de saisir la véritable nature du récit du jardin. Ce texte de saint Grégoire est signalé par H. RONDET, *Le péché originel...,* p. 328.

UNE ERREUR SUR LA PRIORITÉ ORIGINELLE
DU FRATRICIDE
L'ÉTHIQUE ET LE THÉOLOGAL

Pour sortir des impasses où se fourvoie une lecture fondamentaliste du récit de la chute, on propose de dire que le péché originel serait à chercher dans le meurtre d'Abel [4]. Certes, ce fratricide est riche de sens, sa gravité nous est immédiatement perceptible. Elle symbolise dès le principe la puissance de mort que recèlent la jalousie et la haine, dont les effets sont aussi permanents que leur source. Mais ce drame fratricide, cette autodestruction de la famille humaine est aux yeux de la Genèse une conséquence terrible, il n'est pas un principe, il n'est pas *le* principe du péché. Il n'est pas, certes, secondaire mais il demeure second. La désobéissance d'Adam à l'égard de Dieu précède la haine meurtrière de Caïn pour son frère. Celle-ci est un effet de celle-là; elle la suit et tout en ayant trait à la façon dont chacun des deux frères semble agréé par Dieu, elle concerne *avant tout* la relation de l'un à l'autre. Le fratricide est un péché de l'ordre *éthique;* il concerne les rapports de frère à frère, de l'homme à son semblable. Sans doute encore, les rapports avec celui que l'on voit sont-ils inséparables des rapports que l'on a avec celui qu'on ne voit pas, comme le dit la Première de saint Jean (4,20), mais ils demeurent distincts. Dieu ne saurait se réduire pour nous à la seule existence de l'autre, si essentielle qu'elle soit dans l'approche réelle de Dieu. Comme Dieu existe en lui-même et pas seulement dans les autres, de même l'homme a une identité en soi-même comme « image de Dieu » et pas seulement dans son rapport, d'ailleurs irremplaçable, avec les autres. N'est-ce pas ce qu'entend enseigner la parabole de la faute pre-

---

4. Jean LACROIX, *Le sens de l'athéisme contemporain*, Paris, Casterman, 1958, p. 46, critique la doctrine du péché originel comme accusation de l'homme devant Dieu et oubli possible de la responsabilité de l'homme par rapport à son frère. Le sens du récit du premier meurtre dans la Bible est tout autre et offrirait un meilleur point de départ pour l'intelligence du péché originel.

mière? Elle n'a pas d'abord pour objet le rapport à autrui, qui n'en est pas exclu et qui en est blessé; elle concerne avant tout le rapport avec Dieu. Le péché primordial aux yeux de la Genèse s'accomplit contre Dieu; il est de l'ordre *théologal* et pas seulement *éthique*.

Précieux pour approfondir l'analyse du péché, le déplacement d'accent proposé ne nous dispense pas d'une remarque plus importante encore. Qu'il parle de Caïn et d'Abel ou d'Adam et d'Ève, l'auteur de la Genèse manque d'information proprement historique. Pas plus que nous d'ailleurs, il ne connaît les premiers événements qui marquèrent l'apparition de l'homme. Ce qu'il en dit ne relève même pas de ce que saint Grégoire appelle une prophétie du passé. Comment combler par une révélation, ce qui était de l'empirique humain? S'il y a « prophétie », elle n'intéresse pas l'événementiel; son rôle, comme son contenu, est spirituel et ne se dévoilera que plus tard. Pour l'heure acceptons que l'auteur partage notre ignorance sur les premiers moments de l'Homme, mais acceptons aussi qu'il discerne mieux que nous l'horizon spirituel sur lequel l'éveil présumé de notre liberté nous donne à réfléchir. Seule, sa « manière » si l'on peut ainsi dire nous importe ici. Comment donc s'y prend-il?

LE REPORT DU PÉCHÉ ACTUEL
SUR L'ORIGINE

Pour nous conduire à sa façon aux origines, l'auteur du récit évoque le passé en partant du présent. Il opère un transfert et se met ainsi en mesure de combler l'ignorance empirique où il est de ce dont il veut spirituellement parler. Sans doute, la démarche ici décrite n'a pas été consciente. Le fond mythique dont il hérite et qu'il purifie, en le faisant passer par le tamis théologique d'un monothéisme absolu et d'une doctrine rigoureuse de la création de l'Homme par Dieu, le dispense de toute hésitation sur l'historicité de la première faute, qui suit aussitôt le récit de notre création. Il en résulte aussi qu'il dote « Ève » et « Adam » d'une lucidité qui dépasse sans doute de beaucoup les aptitudes d'une conscience humaine, encore enveloppée dans les brumes de son état naissant. L'auteur, en toute bonne foi, attribue à l'aurore de l'humain des clartés de plein jour. Fondé sur le report que l'auteur réalise à partir du péché *actuel*, spirituellement compris, sur le *premier* péché, prophétiquement silhouetté, le péché initial décrit par la Genèse n'a d'autre contenu que la *profondeur révélée du péché actuel*. C'est donc la réalité de celui-ci qu'il faut apprendre à lire dans le récit, estimé à tort historique, du premier des péchés. Sans doute ce péché est-il dit « historique » au sens où il éclaire les enjeux spirituels des péchés de l'histoire ; il est donc historique dans sa portée, il ne l'est pas dans sa facticité. Comme l'est le récit du prodigue en saint Luc (15,11-32), il est *parabolique;* sa vérité n'est pas d'abord dans le récit, mais en nous qui le lisons, et qui nous l'appliquons comme une révélation de nous-mêmes. Donc, à travers le récit entièrement parabolique du premier des péchés, l'auteur entend nous faire saisir l'essence spirituelle ou si l'on veut théologale de tout véritable péché, dont l'expérience de l'histoire, éclairée par les lumières de la révélation et de l'Alliance, lui fournit maints exemples [5]. Le péché actuel permet de décrire une faute que l'on peut dire archétypale en laquelle apparaît la nature absolue du péché.

LA FAUTE DU « JARDIN »

Dès que l'Homme est créé, il est placé par Dieu dans un « jardin », « l'Éden » : un « paradis »! L'auteur exprime ainsi de manière symbolique, que la création de l'homme et de la femme ne s'accompagne pour Dieu d'aucun conflit interne dont l'Homme devrait payer le prix ; il exprime, pour cet Homme créé par Dieu à son « image », le bienfait radical du fait d'exister. Le message est essentiellement spirituel et ne doit laisser espérer nulle précision sur les

---

5. GRELOT, *Réflexions sur le péché originel*, p. 52 renvoie ici à Ez 28,2-30. Voir notamment v. 9 contre le roi de Tyr abattu : « Diras-tu encore : " Je suis un dieu " devant les meurtriers, alors que tu seras un homme et non un dieu dans la main de ceux qui te transpercent. »

conditions empiriques de l'Homme à l'origine. Ces précisions, la science sans doute les infirmerait toutes, sans nous autoriser pour autant à penser que la vie primitive de l'Homme sur la planète fut un « enfer », puisqu'elle a réussi. En tout cas, avec son « paradis » ou son « jardin », l'auteur entend parler du pur *fait* d'exister, pour le juger « très bon », comme l'a fait Dieu lui-même (Gn 1,3).

Pourtant, en édictant un interdit ou tout au moins une limite [6], Dieu ne prend-il pas sur lui de compromettre une aussi heureuse harmonie ? Nullement. En effet, puisque l'humanité arrive à l'existence qu'elle n'a pas de soi-même, et qu'elle le fait de manière consciente, elle reçoit à juste titre de Celui qui l'introduit dans l'être, une balise qui guide son entrée en la nouveauté de la vie. Dans le monde des choses où l'Homme est immergé, Dieu veille ainsi à ce que l'Inoubliable qu'il doit être pour l'Homme ne soit pas oublié. Si un conflit doit naître entre l'homme et son Dieu, à l'intérieur de ce « jardin », l'auteur nous avertit qu'il viendra donc de l'Homme et nullement de Dieu – demeurant entendu qu'entre les deux s'insinuera un tiers dont nous ne pourrons lever que plus tard la mystérieuse identité [7].

La faute dans laquelle l'humanité va s'engager n'a rien à voir, en tout cas, comme on le croit souvent, avec la sexualité. Faisant intégralement partie de « l'image de Dieu », la sexualité a pour but d'initier l'homme et la femme à la présence, au dialogue, à la fécondité, toutes choses qui dérivent en nous du mystère éternel de Dieu. La faute n'est pas relative non plus à l'usage du monde. Celui-ci leur est entièrement ouvert tout en portant en lui le signe – par la « limite » dont nous avons parlé – de l'inoubliable Identité de son auteur. La faute n'appartient donc pas, on le découvre de nouveau, à l'ordre de l'éthique qui règle nos rapports à autrui et l'usage du monde. Ce sont les conséquences de la faute qui en relèveront; elles affecteront le rapport de l'homme et de la femme sous l'aspect du désir tournant à

---

6. CASTEL, *Commencements...*, p. 61.
7. CASTEL, *Commencements...*, p. 74. En disant que le serpent n'est rien d'autre que l'homme, l'auteur simplifie à l'excès le problème. Le serpent symbolise vraiment autre chose que le couple et que Dieu : il insinue entre l'un et l'autre une tentation qui, quoique bien accueillie par l'homme et la femme, leur vient *de l'extérieur*.

la domination, de la douleur, du travail et surtout de la
« mort », qui va spirituellement s'enténébrer de scandale et
de soupçon. En réalité, la faute initiale, décrite en parabole
dans le récit biblique des origines, concerne par essence
notre rapport à Dieu; elle est, nous l'avons vu, théologale :
« Vous deviendrez *comme des dieux*! »

Pour le moment, laissons ramper le tentateur et regardons encore la tentation. Ce n'est pas le désir *en lui-même*
de « devenir comme des dieux » qui est le mal du « jardin ».
L'Écriture elle-même, Jésus va le redire (Jn 10,36), nous
appelle des « dieux » (Ps 82.6). Le mal est de vouloir l'être
ou le devenir *par soi seul*. Cette prétention impossible
serait seulement ridicule si elle n'impliquait aussi le projet
sacrilège de réduire Dieu à soi. « Devenir » celui qui est
par essence Inimitable, c'est pour l'Homme supposer qu'il
peut ramener Dieu à sa propre mesure. Ainsi peut
apparaître la folie à laquelle la parabole nous déclare
éveillés par le suprême tentateur, au cœur du « jardin ».
Mais comment est-il possible que le « jardin », c'est-à-dire
le fait d'être créé personnellement par Dieu et pour Lui,
devienne l'occasion et le lieu d'une pareille tentation?

Tout Créateur de nous-mêmes qu'il est, Dieu cependant
demeure Dieu, c'est-à-dire ce que nous ne sommes pas.
C'est pourquoi il peut et doit demander quelque chose où
son Altérité irremplaçable et de soi bienheureuse se signale
et soit acceptée dans l'amour qu'elle mérite. Or c'est
précisément cette divine Altérité qui va paraître critiquable
à celui qui se trouve surpris d'y être confronté. Surpris!
et peut-être sottement offensé! Il nous paraît intolérable
d'avoir à sortir de nous pour nous trouver nous-mêmes.
La liberté n'est-elle pas dans une suffisance qu'on voudrait
absolue? D'ailleurs cette suprême autonomie, qui pourrait
se dire sartrienne, ne définit-elle pas le Dieu dont nous
sommes « l'image »? Penser ainsi, c'est au « jardin », donc
comme « créature », s'ouvrir au grief nietzschéen que nous
faisons à Dieu d'être Dieu sans que nous-mêmes le soyons.
Grief séduisant pour notre vanité et pourtant aberrant
entre tous : que deviendrait le créé que nous sommes, si
l'Incréé n'existait pas? Comment le serait-il hors de la
différence qu'il fait valoir de Lui à nous pour que nous
découvrions ainsi sans erreur à quel Absolu nous livrer?

Loin de le jalouser qu'il soit le seul à faire exister l'être depuis toujours et à jamais, nous devrions au contraire le bénir qu'il soit Celui qui peut nous dire en toute vérité : « Je suis celui qui est, qui fut et qui sera » et ajouter encore dans son incarnation : « Je suis celui qui vient » [8]. N'étant ce que nous sommes que par Celui que nous ne sommes pas – l'Amour et donc aussi l'antinéant par excellence – Dieu est en lui-même et pour nous le plus nécessaire et le plus adorable qui soit.

C'est tout cela que le tentateur voudrait nous faire désavouer, l'ayant désavoué lui-même. La folie du péché consiste donc à oublier l'amour qui nous fait exister. Elle nous inspire en somme d'arracher Dieu au domaine de *l'autre* et même du Tout Autre et de le faire tomber dans la catégorie du *même,* où nous désirons l'égaler et donc l'abolir comme *Différent* de nous. Nous espérons y parvenir en refusant de nous soumettre à la parole où se reflètent en même temps notre différence d'avec lui et la sienne, infinie, d'avec nous. Espoir d'autant plus dérisoire qu'il est par définition impossible d'abolir ce qui fait le divin même en Dieu. Le pourrions-nous, nous n'y gagnerions jamais que le néant universel, alors que ce Dieu qui nous gêne, dit-on, parce qu'il est le seul à être l'Absolu, étant l'Être comme tel, nous a promis la Vie qu'il *est.*

La peur, plus encore que l'orgueil d'avoir à reconnaître un Tout Autre que soi explique, semble-t-il, dans l'homme une pareille aberration; l'énormité de l'illusion la rendra d'ailleurs pardonnable. Mais avant de voir qu'elle est de fait pardonnée, il faut prendre conscience de la gravité de l'erreur, et découvrir comment Celui qui nous en tire en supprime en lui-même la source et la blessure.

Paraboliquement transférée au début de l'histoire, la tentation radicale de l'Homme est donc faite, au regard de la Bible, du désir insensé de devenir Dieu par soi-même, en réduisant ainsi à notre taille le mystère de Dieu et, de ce fait, le nôtre aussi. Le sens du Tout Autre se trouvant bouleversé, c'est tout l'ordre de *l'autre* (autrui et le reste du monde), qui l'est aussi. Dans la synthèse des fautes, essentielles à l'Homme, que dresse la parabole des origines, Caïn s'explique donc par Adam; la faute *éthique*

---

8. Cf. Ex 3,14 et Ap 11,17.

contre le frère s'enracine dans la faute *théologale* commise contre Dieu. Si tel est bien en profondeur l'ordre réel du péché, le mystère de la Croix s'éclaire en détruisant la racine secrète de l'univers du péché auquel le Christ en personne s'en prend.

LE « JARDIN » ET LA CROIX
OU LE PÉCHÉ DU MONDE

Sans doute, comme on aime à le dire de nos jours et à très juste titre, la croix est une atteinte contre l'homme lui-même sous sa forme la plus pauvre et la plus désarmée. « Vous avez rejeté le Saint et le Juste », dit saint Pierre, c'est-à-dire l'innocent dont Pilate lui-même n'avait pas accepté la culpabilité (Ac 3,13). « Ils m'ont haï sans cause », disait déjà Jésus (Jn 15,25). La passion est donc *éthiquement* parlant une iniquité évidente. Par ce biais elle acquiert de nos jours une actualité que l'on peut dire universelle. Toute violence faite à l'Homme, à sa dignité, à ses droits, au respect absolu que tout individu de tout sexe, de tout âge, de toute race, de tout rang, mérite et revendique dans son corps, sa culture, son esprit, ses convictions politiques, culturelles, sociales ou religieuses, trouve en Jésus son paradigme impressionnant. Par la violence mortelle dont injustement il devient la victime, Jésus devient aussi l'archétype du Juste rejeté dont Platon avait déjà découvert dans Socrate un exemple [9]. L'éthique peut donc se définir comme l'impossibilité de refaire à quiconque ce que l'on a fait à Jésus, qui s'est identifié lui-même à tous les délaissés et à toutes les victimes du monde [10]. La passion devient ainsi l'abrégé exemplaire et jamais égalé de l'injustice qu'il faut proscrire et des souffrants qu'il nous faut secourir en détruisant, autant qu'il est possible, la cause des douleurs qui leur sont imposées. Elle révèle aussi en la personne de Jésus le modèle achevé du don de soi, qui l'associe à toutes les victimes du monde. Ainsi l'éthique

9. *République* II, 360a.
10. Un de mes frères aînés résumait naguère ainsi la Passion : « C'est le lieu où Jésus nous dit : Ne faites pas aux autres ce que vous m'avez fait à moi. »

humaine trouve-t-elle sur le calvaire son lieu théologique le mieux fondé qui soit. Mais en outre l'éthique ainsi comprise inclut une reconnaissance implicite de Dieu, comme son rejet comporte implicitement un déni [11]. Et cependant la croix conduit plus loin encore.

L'injustice dont le Christ est victime atteint en lui un paroxysme éthique pour une raison qui déborde l'éthique. « C'est parce que étant homme, il s'est dit fils de Dieu » (cf. Jn 10,23 et 19,17), qu'il est rejeté par les autorités religieuses de son peuple. Jésus est livré à la mort sans autre raison que le refus qu'on fait en lui d'une mission, divinement accréditée pourtant (Jn 10,37; 15,24). Le Christ ne devient donc le prototype des victimes du monde qu'en raison de l'identité plus qu'humaine qu'il revendique et peut revendiquer à bon droit. Ce qui est refusé en lui sur la croix, c'est sa messianité. Qu'est-ce à dire sinon le fait que Dieu lui-même, transgressant les limites premières qu'il s'est assignées pour nous donner le droit d'être *vraiment* nous-mêmes, décide d'accomplir sa promesse, et de donner aux hommes d'entrer « en communion avec la nature divine » (2 P 1,4) et de devenir ses fils dans le Fils. En effet, la distinction de Lui à nous, qui nous fait créatures, n'est que le premier mot d'une union infinie qui, le faisant passer à l'humanité que nous sommes, doit nous faire passer en ce qu'Il est Lui-même. Celui en qui, l'heure venue, se réalise le projet primordial d'une communion entièrement réciproque de Dieu avec l'homme et de l'homme avec Dieu, se heurte chez nous au refus que Dieu puisse sortir de son Altérité pour entrer dans la nôtre et les transfigurer toutes deux : la sienne en cette humanité qu'il acquiert grâce à nous, la nôtre en la divinisation dont il nous gratifie.

---

11. Nous frôlons ici une fois de plus (cf. plus haut, p. 51-52) le rapport essentiel entre l'éthique et le théologal. Bien compris, ce rapport où aucun des deux termes ne doit être jamais sacrifié à l'autre – pas plus que 1 Jn 4,20 : « celui qui n'aime pas son frère qu'il voit ne peut pas aimer Dieu qu'il ne voit pas » ne peut l'être à 1 Jn 5,2 : « nous aimons les enfants de Dieu si nous aimons Dieu » – est sans doute l'un des moyens majeurs pour éviter la sécularisation de la conscience chrétienne au nom du politique ou du social, essentiels tous deux à la conscience humaine et chrétienne.

Que le refus de la messianité de Jésus soit la réelle profondeur du monde du péché, sur lequel le Christ d'abord se brise, l'hymne christologique du chapitre 2 de l'Épître aux Philippiens nous en donne la preuve [12]. Apparemment, en refusant Jésus, c'est le vrai Dieu que les chefs religieux de son peuple prétendent honorer; en réalité, c'est au Fils dans la chair qui abolit la jalousie de l'homme à l'égard de Dieu, que s'adresse vraiment le refus. Par-delà l'interdit qu'on oppose à Dieu même de dépasser dans son amour pour nous sa propre transcendance par son incarnation, c'est le révélateur absolu du mystère de Dieu qu'on rejette en Jésus. De fait, l'homme de l'histoire rêve toujours plus ou moins de s'accomplir lui-même, en se passant de Dieu ou en prétendant l'égaler ou même le servir, mais *seulement* selon ses propres vues.

Le Christ, quant à lui, représente et crée de toute pièce l'homme vraiment nouveau qui dit « oui » là où l'homme du péché a dit « non » et qui dit « non » là où cet homme a dit « oui ». Sans doute le fait-il dans l'ordre de l'éthique en fondant entre nous un rapport fraternel mais il ne nous lie ainsi les uns aux autres comme des *frères* qu'en nous liant d'abord comme des *fils* à Dieu, qui devient de la sorte en toute vérité notre Père, comme il est depuis toujours, à titre entièrement unique, le Père de Jésus. De là découlent l'innovation infinie et le salut définitif, que son incarnation et sa croix représentent pour le monde.

Alors qu'Adam, celui qui nous résume en parabole au titre du pécheur, accepte dans le « jardin » l'idée follement meurtrière de devenir Dieu par lui-même, pervertissant l'ordre des rapports à l'autre par son erreur à l'égard du Tout Autre, le Christ dans sa croix fait un choix infini qui est tout opposé. Ayant droit comme Fils à la gloire du Père, qui est de toujours à jamais son bien propre, il abandonne totalement cette gloire en son incarnation. Se portant d'un seul coup, d'un seul bond, à l'extrême de ce qui est l'âme damnée de notre faute, il s'anéantit par amour dans la chair, qu'il offre, au surplus, sur la croix. Bien mieux qu'il ne l'a fait avec les tables des changeurs dans le Temple, il renverse de la sorte en lui-même

---

12. Louis LIGIER, *Péché d'Adam, péché du monde*, Paris, Aubier, 1961, II, p. 346-361. Analyse théologique remarquable de ce que l'auteur appelle *le choix messianique du nouvel Adam*.

l'infrastructure du monde du péché qui opère en nous ses ravages; il reconduit l'humanité sur le chemin d'un Dieu qui n'est réellement Dieu qu'en étant la Communication même. Car le Dieu que révèle de la sorte Jésus est Celui qui se décide à *n*'être Dieu *pour nous qu*'en nous communiquant la gloire que nous rêvons en vain de lui ravir, alors que son rêve éternel est de nous la donner. Mais comment pourrait-il réaliser son rêve sans que nous reconnaissions d'abord la double identité conjuguée de Celui, Incréé, qui le forme et de nous-mêmes qui, comme créatures, existons pour en bénéficier?

A défaut de découvrir notre identité en confessant celle de Dieu, c'est Dieu lui-même qui « en son Bien-aimé » (Ep 1,6) nous enseignera et la nôtre et la sienne. L'Autre *de* Lui en *Lui* viendra corriger du dedans l'aliénation où s'est jeté l'autre *que* lui *hors de lui,* désireux de se faire l'égal alors qu'il est seulement le semblable de Dieu.

Le Christ rétablit donc dans sa divine soumission de créature, filialement illuminée, filialement illuminante, ce que nous détruisons dans nos comportements de créatures abusées. Nous faisant fils en Lui, il nous rend frères entre nous; il nous permet ainsi de transformer en communion la différence créée où par nous-mêmes nous ne voyons qu'aliénation prétendument insupportable. Telle est la messianité salvifique du Christ qui détruit à la croix le péché de ce monde, symboliquement préfiguré dès le « jardin ».

L'IDENTITÉ DU TENTATEUR

Nous sauvant de nous-mêmes « en toute intelligence et sagesse », comme dit saint Paul (Ep 1,10), le Christ nous permet de lever le mystère du tentateur en ce fameux « jardin ». Le Baptiste n'aurait pas dit de Jésus au Jourdain qu'il « enlève le péché du monde » (Jn 1,29) si le Christ n'en était pas capable. Or il venait de montrer qu'il l'était en démasquant dans la troisième tentation du désert, le « menteur et homicide dès le commencement » (Jn 7,44).

Par son refus des mœurs de puissance et d'orgueil

contraires à sa messianité, le Christ pousse le tentateur à la proposition insensée qui le trahit mais le traduit aussi tout entier. « Tout cela » – c'est-à-dire les royaumes du monde, spirituellement compris comme les formes d'existence et de gloire où l'homme s'essaie à se passer de Dieu – « je te le donnerai, si tu te prosternes et m'adores » (Mt 4,9). Le tentateur n'invite plus les hommes comme au « jardin » à devenir Dieu; au désert, il se prend désormais pour Dieu même, ou rêve que l'on fasse comme s'il l'était vraiment! Le désert accomplit donc le « jardin », où l'autre que Dieu ose se faire passer pour Dieu lui-même? Incapable de reconnaître la nuit où il fait entrer la créature consentant à l'errance qui le définit lui-même tout entier, le « prince de ce monde » n'est plus insidieux seulement comme il l'est au « jardin »; il se dresse ici de toute sa hauteur pour inverser dans la démence ce que le Christ révèle en toute vérité. Alors que Dieu oublie sa propre gloire pour se faire exister comme un autre nous-mêmes, une de ses créatures, sublime et étrange entre toutes, décide de se donner comme suppléant de Dieu. On dirait que la présence messianique du Fils, qui pour nous relie la plus totale adoration avec le plus pur des amours, pousse le tentateur jusqu'au suprême de son aberration. Quant à Jésus, avant d'être dans le jardin de l'agonie le désolé qui ne saurait fléchir quand il s'agit d'aimer, il se révèle dans le désert l'Adam nouveau qui ne sait et ne veut qu'adorer.

La confrontation personnelle avec le « prince de ce monde qu'il va jeter dehors » (Jn 11,13), confrontation qui s'étend du désert à la Croix, explique pourquoi Jésus n'a pas à parler du péché du « jardin ». La parabole s'efface ici devant l'instante réalité, car Jésus démasque dans le monde l'œuvre du tentateur; il en révèle ainsi la véritable identité : elle est dé-création de soi-même et des autres et donc mensonge et mort [13]. Avec lui, le péché actuel du monde, éthique dans le mépris des autres, théologal dans le déni de Dieu, trouve sa source trans-humaine la plus dissimulée et la plus pernicieuse. En aucun cas comme

---

13. Karl LEHMANN, Le mystère du Mal. Préliminaires au problème du mal, in *Communio* IV, 3 (1979), p. 10-18. Dans le même numéro Jean-Luc Marion, « Le mal en personne », 28-42, qui justifie de façon parfaite la définition que j'ai entendu Olivier Clément me donner de Satan : « la personnalité *éclatée* par excellence ». Voir aussi note suivante.

en celui de Satan, unique semble-t-il en son genre [14], le péché n'apparaît pour ce qu'il est vraiment en sa logique révélée : « une vaine tentative d'ignorer ses limites [15] ». Le prince de ce monde conduit la tentation jusqu'aux limites du concevable, en projetant de tenir comme créature la place du Créateur, comme fini celle de l'Infini, comme non-Dieu celle de Dieu lui-même et comme « élu » qu'il reste dans l'amour de Dieu, celle du révolté qu'il entend eschatologiquement demeurer. Libre choix parfaitement impensable pour nous et qui n'attire d'ailleurs que la miséricorde de la part de Dieu, une fois le monde affranchi, par le Christ et l'Esprit, d'une telle destruction spirituelle de soi [16].

L'erreur ridicule et tragique de l'homme et du monde en son péché serait de vouloir rivaliser avec Satan et de se prendre soi-même pour le diable, à force d'entêtement dans le mal qu'on fait ou qu'on désire faire. Pourtant, dans l'ordre du péché, c'est Satan qui demeure le « prince », comme nous le dit Jésus; il n'en est pas moins « jeté dehors » car « la grâce surabonde où le péché abonde » (Rm 5,20). Dans le Christ, dès lors, le mal et son « prince » sont réellement « vaincus, non dans leur existence », puisque la liberté qui est leur seule source demeure entière et qu'on peut se soumettre à leur empire et même le propager, mais ils sont bien « vaincus dans leur puissance » [17], puisque le « fort armé » qu'est le Fils de Dieu dans la chair est à nos côtés pour toujours.

Confrontés de la sorte au plus sublime et au plus perverti de la création spirituelle, avons-nous découvert pour autant ce que l'Église appelle le péché « originel » ?

---

14. Il y a dans le Nouveau Testament, au sujet du démon, un jeu du pluriel et du singulier qui est sans doute à approfondir. Dans les emplois majeurs, pour la Tentation de Jésus au désert, en Jn 12,31 ou 2Th 2,7 par exemple : c'est le singulier qui domine, comme si le pluriel que l'Évangile connaît par ailleurs pour parler « des démons » représentait une sorte de polymorphisme d'un seul qui peut alors s'appeler, à bon droit, « légion » Mc 5,9. Un mot comme celui de Mt 25,41 sur « le feu préparé pour le diable et ses anges » peut garder tout son sens profond en évoquant le pouvoir *multiforme* d'un seul.

15. René MARLÉ dans son *Symbole des Apôtres*.

16. Notre *Au-delà retrouvé*, Paris, Desclée, 1974, p. 187-189.

17. Maurice CLAVEL, *Ce que je crois*, Paris, Grasset, 1975, p. 288-289.

Nullement, semble-t-il, puisque « le prince de ce monde » n'appartient pas, par son identité, à l'humanité elle-même. C'est sur le versant tout humain de l'histoire qu'il nous faut de nouveau regarder, en prenant pour guide un saint Paul dont les propos sont à ne pas forcer.

LE RETOUR À SAINT PAUL
EN FONCTION DE LA BIBLE

La profondeur avec laquelle la Genèse nous parle de la faute d'« Adam » et la place que saint Paul lui reconnaît par rapport au Seigneur ne changent nullement la nature historiquement précaire de leur information à tous deux, concernant l'existence d'« Adam ». Il est sûr en effet que ni Paul ni l'auteur de la Bible n'en savaient plus que nous, du point de vue strictement historique, sur le premier des hommes et son premier péché. Ce qu'ils en disent dépend entièrement de ce report prophétique que l'un et l'autre opèrent du péché actuel des hommes, éclairé par la révélation, sur le début du monde humain, compris avec perspicacité comme un début de liberté, peccable et donc aussi pécheresse.

Le récit primitif met donc génialement en scène l'expérience négative de l'homme dans son rapport à Dieu; il donne comme originel ce qui lui paraît et qui est assurément le plus profond de notre faiblesse, de nos illusions sur nous-mêmes et sur Dieu, donc de notre errance et quelquefois de notre perversion.

De toute manière cette évocation du début ne repose nullement sur une connaissance empirique de ce qui s'y est passé; elle représente une projection de l'actuel sur les temps révolus, en raison de l'identité historique, justement présumée, de la nature de l'homme et de sa liberté [18]. Le principe du transfert ou du report, c'est le droit de la conscience humaine à se déclarer compétente sur ce qui la concerne en profondeur, quelle que soit la durée qu'elle doit franchir pour se reconnaître et s'affirmer soi-même

18. Plus haut, p. 16-17; 52-53.

dans la nuit primitive des temps. Plus l'homme change, culturellement parlant, plus il demeure spirituellement le même : hésitant, menacé, tenté par le moins bon, peut-être même par le pire, dès qu'il s'agit, pour s'accomplir vraiment, de se perdre de vue, de se confier au Tout Autre et de dépasser tout ensemble la peur, le soupçon, l'incertitude spontanée sur soi, le monde, autrui et Dieu lui-même.

Oublier ces résultats élémentaires auxquels conduit l'herméneutique des origines racontées par la Bible – on le fait très souvent en passant de Gn 3 à Rm 5 – c'est exposer l'intelligence de la foi à soutenir l'insoutenable, en matière de faute « originelle ». En effet, lorsque saint Paul parle du rapport du péché et de la mort avec la personne d'Adam, en disant que par lui « le péché est entré dans le monde et par le péché la mort » (Rm 5,12), il s'inspire visiblement de ce que la Genèse nous dit, tout en le précisant. De toute manière il ne sort pas des horizons où s'inscrit la Genèse; lui aussi se situe dans une histoire symbolique de l'homme, concernant à la fois péché et salut du péché. Il n'ajoute rien à ce que « sait » l'auteur biblique sur la nature de ce premier péché, sinon qu'il en alourdit encore la signification, en faisant d'Adam sa cause introductrice et, par là, celle de la mort dans le monde [19].

Sachant donc qu'Adam n'est nullement la *cause* de la mort biologique des hommes, il nous faut désormais essayer de voir ce qu'il en est de son rapport avec l'ensemble du péché dans le monde.

---

19. Le contresens induit par la traduction fautive du *eph'ô* grec (*à condition que*) par l'*in quo* latin (*en qui*) de Rm 5,12 a été clairement repéré et désormais, heureusement, éliminé. Sur ce point LYONNET, *art. cit.*, p. 543-547. Indépendamment du problème posé par le naturalisme de Pélage qui croyait la liberté humaine capable de se sauver elle-même, le « in quo » de Rm 5,12 a servi le pessimisme d'Augustin, sans le fonder vraiment. Voir à ce sujet la note 55 du chapitre premier. Sur les conséquences d'une damnation universelle qu'Augustin tirait de Rom 5,12, puisqu'*en Adam tous* avaient péché, voir les références données par Dubarle, *Le péché originel...*, p. 31, note 16.

REPRISE NÉCESSAIRE
DU POINT DE DÉPART CHRISTOLOGIQUE

Tout en apparaissant à ses yeux dans le contre-jour du Christ, il reste que Paul voit en Adam l'universel responsable du péché. Même si l'on admet, ce que tout le monde fait désormais, que sa responsabilité est corrélative de la nôtre qui ratifie ainsi la sienne [20], un problème très grave demeure posé. Comment Paul peut-il faire porter à un unique individu, d'identité hypothétique et perdu aux origines brumeuses de l'histoire, un tel fardeau moral : celui d'avoir introduit lui-même, et *lui seul pour tous,* le péché et la mort qui, sans lui, donc, n'y seraient pas entrés? Dire, comme on le fait désormais, que la mort dont il s'agit n'est pas la mort biologique mais la mort spirituelle ou eschatologique, ne fait qu'aggraver le problème. Comment accabler un seul individu et sous forme naissante, d'une telle responsabilité sur l'histoire spirituelle du monde? Il est donc probable, il est même certain que ce que Paul veut nous dire n'est pas de l'ordre de cette affirmation. Si on croit le contraire, c'est qu'on néglige, à son insu, quelque chose d'essentiel à la pensée de Paul. On omet de voir qu'en ses affirmations Paul ne sépare jamais ici Adam du Christ. Ce qui modifie tout.

Devant l'universalité du péché qui découle pour saint Paul, comme nous l'avons vu, de celle du salut, on oublie que la première affirmation dépend *totalement* de la seconde et on considère comme une réalité allant de soi cette universalité du péché en Adam, à laquelle désormais on recherche une *cause.* Alors que cette universalité du péché, pensée symboliquement par saint Paul sous l'éponyme tout indiqué d'Adam, *est irreprésentable sans le rapport qu'elle a avec l'universalité du Sauveur,* et que pour Paul elle *ne* repose *que* sur lui, on isole le premier des deux termes, qui est en réalité le second, et on se met

---

20. En fonction du « eph'ô » de Rm 5,12 (cf. ici note 19) qui introduit la responsabilité de chacun et de tous.

en chasse d'une explication sur Adam, indépendante du mystère du Christ. Alors qu'Adam fait partie d'une affirmation de la foi, prophétiquement inséparable de la réalité du salut qui l'étaye, on la prend en soi-même comme une réalité naturelle qu'on devrait justifier désormais sans recourir au Christ qui la fait apparaître pourtant en ce rôle à la conscience de la foi. Bref, on veut justifier par un autre chemin que celui qui nous ramène au Christ, le rôle d'un « Adam » qui ne tient qu'en contraste négatif avec le Seigneur et dont saint Paul redit sans cesse qu'il en est le type, l'ombre et la figure [21]. Étonnons-nous, après cela, qu'on recherche un coupable, comme on le ferait dans un roman policier commençant par un crime dont l'auteur échappe encore à la justice!

UN PROBLÈME MAL POSÉ
ET DONC MAL RÉSOLU

A vrai dire, on ne recherche pas tellement un coupable en Adam, on le tient, on l'a même pris sur le vif! Qui a fait cette humanité pécheresse dont nous parle saint Paul? N'est-ce donc pas Adam? Paul ne le dit-il pas? A se croire paulinien, en désignant « Adam » comme l'individu empiriquement responsable de « l'*entrée* du péché dans le monde » au sens de sa *cause*, on devient simplement odieux ou ridicule.

Si trouble qu'elle soit en effet dans ses présupposés où un unique est victime pour tous – que l'on pense ici à ce que dit René Girard – ce type de pensée pouvait encore avoir un semblant de valeur dans une histoire vieille de cinq mille ans tout au plus et dans laquelle, d'ailleurs, la mort biologique pouvait relever d'une « faute » puisqu'elle était un « mal ». Le récit primitif est bâti sur ce schème, sans s'y réduire pourtant. C'est pourquoi nous pouvons nous libérer à son propos de toute explication causale qu'on prétend en tirer, soit pour la mort soit même pour le péché. Pour la mort, les choses sont déjà claires, si on

21. Ainsi en Rm 5,10, 1 Co 15,45.

en parle du point de vue biologique; mais comme Paul semble la relier fortement au péché et en attribuer ainsi la *causalité* à Adam, il faut encore entrer ici dans quelque précision.

Que la mort biologiquement comprise reçoive en surimpression culturelle ou religieuse des significations complémentaires, qu'elle symbolise donc autre chose que la seule suppression physique du vivant et serve à désigner dans l'homme le péché, cette perdition spirituelle de l'âme et de l'esprit, c'est normal. Néanmoins, c'est toujours sur une base *biologique* que la mort revêt cette signification *spirituelle* dont elle est alors enrichie. Aussi bien, dans un monde où le biologique n'a pas encore gagné, semble-t-il, l'indépendance qui lui revient, les deux aspects, l'un proprement biologique et l'autre avant tout spirituel, peuvent être mêlés et même confondus. Ainsi en va-t-il au temps de la Genèse et pour saint Paul aussi. En Genèse 3 et en Romains 5, le biologique semble encore totalement intégré aux significations spirituelles et même eschatologiques que la mort humainement comprise y reçoit; ces significations étant par ailleurs capitales, elles dominent le biologique, l'enclavent et peuvent en dérober la réalité spécifique. De la sorte d'ailleurs, Dieu est innocenté d'un phénomène dont le malheur pourrait justifier autrement un insurmontable scandale.

Or, nous ne pouvons plus de nos jours ne pas distinguer le caractère naturel de la mort biologique et l'interprétation spirituelle qu'appelle aussi dans l'homme le fait, tout naturel encore que scandaleux, de souffrir et d'avoir à mourir. Le fait que Paul spontanément lie les deux en la seule personne d'« Adam », sans se poser à ce sujet, semble-t-il, la plus légère question, alors que le problème ainsi posé est à nos yeux considérable, montre assez clairement qu'il parle en fonction d'une *évidence culturelle* qui n'a plus à demeurer la nôtre... *à moins qu'il ne voie en « Adam » ce que nous ne savons plus y voir* et qui pour lui allait de soi.

OMNIS HOMO ADAM,
OMNIS HOMO CHRISTUS

L'aurions-nous oublié? Ce que l'apôtre entend nous
dire dans ses affirmations sur Adam, c'est moins ce qui
nous arrive du seul fait d'Adam, à savoir « le péché et la
mort », que ce qui nous arrive du seul fait du Christ, à
savoir « la justice et la Vie ». Le rôle que joue Adam ici
n'a pas sa consistance en lui-même; il la doit tout entière
au Christ auquel il sert de contrepoint. Paul utilise Adam
pour faire valoir l'incomparable efficacité du Christ dans
l'œuvre du salut; ce qui l'intéresse en Jésus c'est qu'il soit
lui seul la source d'un salut absolument universel; en
Adam au contraire, ce qu'il désire trouver, pour exalter
le salut apporté par le Christ c'est moins la responsabilité
personnelle d'Adam – qu'il n'a d'ailleurs aucune peine à
accepter – dans l'ordre du péché, que le moyen de se
représenter l'universalité du péché à laquelle nous arrache,
lui seul, le Rédempteur universel de tout le genre humain.

Puisque Adam est le représentant de la totalité des
hommes dans la symbolique culturelle de son peuple, Paul
utilise ce patronyme de l'humanité tout entière pour y
synthétiser en contrepoint l'œuvre éminente du Sauveur.
Pourtant, même pour saint Paul, contrairement au contresens commis par Augustin qui a lu l'inclusion de tout
péché *dans* le seul « péché » d'Adam [22], Adam n'est jamais
à comprendre comme le pécheur *causal* qui expliquerait
tout le péché du monde, il est à comprendre, quel que
soit par ailleurs pour nous le caractère inaccessible de son
identité concrète, comme le pécheur *inaugural*. Ce qui
« entra » *par* lui ou plutôt avec lui dans le monde, comme
le dit saint Paul, déborde de beaucoup ce qu'il fait *de* lui-
même. « Adam » n'est pas la source d'un fleuve qui lui
devrait à lui tout seul la nature de son cours; ce qui naît
avec lui de « péché », et qu'il faudra encore préciser, aurait

---

22. Le « in » (*dans*) qu'Augustin lisait dans la « Vulgate latine » de son temps
fausse complètement le sens du grec « eph'ô » comme nous l'avons vu plus
haut, notes 19 et 20.

pu naître avec tout autre et peut se trouver en chacun, sans que ce pauvre « Adam » y soit « causalement » pour rien.

L'histoire cumulative du péché dans le monde, dont la Genèse présente un raccourci purement symbolique d'Adam à Abraham, n'est pas le développement homogène d'un péché imputable à Adam, comme si tout découlait de la seule liberté personnelle de cet individu. Adam, pour ne rien dire d'Ève, a fait le *premier* ce que nous faisons *tous*, grossissant de la sorte le poids du péché, car, ajoute saint Paul, si le péché nous « a atteints » et à travers lui, (selon une affirmation sans nuance) la mort « c'est que *tous* ont péché » (Rm 5,12). Il ne faut donc pas chercher en Adam le responsable universel du péché dans le monde. Le premier homme, que nous ne connaîtrons jamais, non seulement n'est pas plus pécheur que les autres, il l'est sans doute beaucoup moins, il est seulement le premier de toute la série; comme il ne sera démenti par personne, personne non plus ne peut se séparer de lui. En lui paraît le genre humain *tout entier*, en lui se révèle ce que nous sommes *tous*. « Il a fait », s'agissant du péché selon la parabole originaire, ce qu'à notre manière nous « faisons » tous et que tous, à sa place, nous aurions « fait » aussi. Il n'est pas une cause mais il est l'exemplaire initial de ce que nous sommes tous. D'ailleurs, si le récit parabolique offre des traits si marqués et sans doute trop forts pour la réalité effective du « premier » des péchés, qui nous demeure d'ailleurs indiscernable, c'est en fait, nous le comprenons mieux maintenant, pour que sa profondeur puisse nous suggérer son extension. *Omnis homo Adam*, disait ici merveilleusement Augustin [23]. Ne le laissons pas ici de côté, il a touché le fond des choses, mais cela même interdit la dramatisation à laquelle il a cru devoir, hélas, se livrer [24].

23. *In Ps 70*, sermo 2, 1 PL 36,891. Cité Rondet, *Péché originel...*, 142. En réalité, Augustin conditionne ici son « omnis homo Christus » par la foi *explicite* au mystère du Christ. En élargissant la formule d'Augustin on ne la fausse pas. Néanmoins on lit en elle la vocation universelle des hommes à faire partie du Christ, alors qu'Augustin, qui a toujours eu tendance à la restreindre, ne considérait dans ce cas que la réalisation effective qu'elle trouvait dans les croyants.

24. Il est indispensable de rappeler ici la distinction théologique entre le péché originel *originé*, celui dont nous sommes marqués en naissant – comment ?

L'ANTÉRIORITÉ DU PÉCHÉ DU MONDE SUR NOTRE LIBERTÉ

La vraie réponse à la question que pose l'universalité du « péché » en tout homme est donc à chercher non pas dans un individu responsable pour tous mais dans l'humanité commune à chaque individu. Nous sommes des libertés originairement peccables, étant dans notre liberté non pas l'Absolu en personne, mais seulement des images de l'Absolu qui peuvent se préférer à lui pour mieux se sentir exister [25]. Par peur ou par soupçon, notre liberté penche spontanément – et c'est le fait de tous, étant un fait humain – vers le pôle négatif de nos rapports à Dieu. Les conséquences éthiques d'un choix théologalement ruineux s'amoncellent ainsi dans l'histoire [26]. L'effet cumulatif de ces choix erronés conditionne les choix à venir et

nous le verrons plus loin – et le péché originel *originant,* le premier des péchés *chronologiquement* parlant. Celui-ci, la Genèse le décrit en parabole comme le prototype des péchés de l'histoire ; elle veut montrer par là que le mal moral vient des actes d'une liberté qui peut se convertir et non d'une fatalité sans cause et sans remède. Appeler ce premier des péchés, péché originel (originant), ne crée aucun problème si l'on voit bien qu'il mérite ce nom seulement parce qu'il *ouvre* la série des péchés de l'histoire et non parce qu'il en *créerait* à lui seul le pire contenu. Quelle que soit la nature ou l'auteur (ou même les auteurs) de ce premier péché, il est bien *l'origine,* au sens du point de départ chronologique de tous les autres ; mais en *inaugurant* cette série, il n'en *constitue* pas à lui seul l'objet ; il n'a pas d'autre gravité que celle de tout autre péché qui suivra et même, comme nous le verrons, sa gravité est sans doute la moindre de tous. Si modeste qu'il soit, il fait *symbole* pour tous les autres, puisqu'il est le premier. A ce titre il mérite rétrospectivement une mention particulière, à condition que, ce faisant, on n'en fausse pas la nature en en exagérant la portée. Reste qu'historiquement parlant, le plus décisif pour nous, c'est le péché du monde actuellement accumulé ; il constitue *l'originatum,* c'est-à-dire la *condition pécheresse* en laquelle nous sommes, en naissant, insérés et dont le baptême nous affranchit en nous incorporant au Christ, comme nous le montrerons. C'est de cette condition pécheresse que le concile de Trente parle en disant que la nature humaine est *blessée.* C'est donc de cette blessure historique que Marie dans sa naissance est gracieusement préservée.

25. Plus haut, p. 53-57.

26. Point de vue très bien analysé dans Dubarle, *op. cit.* 111-118. Voir aussi Piet SCHOONENBERG, *L'homme et le péché* (1962) Paris, Marne, 1967, p. 136-168. C'est ce qui commande de commencer la considération du péché originel par celle du péché actuel, celui des individus et celui des sociétés. Babel représente symboliquement sans doute ce dernier, selon Grelot, *op. cit.,* p. 62. C'est aussi le péché actuel dans son ensemble que Ligier appelle « péché du monde ». Sur cette démarche capitale qui remonte de l'actuel à l'originel voir C. DUMONT, « La prédication du péché originel », *Nouvelle Revue Théologique,* 1961, p. 113-133.

constitue un univers, un héritage, un « monde », un milieu d'existence et de vie ou encore un « champ », au sens magnétique du mot, dans lequel nous entrons tous par la voie de la génération et dont nous devenons ainsi dépendants. Cet héritage ou ce milieu nous façonne, ce « champ » nous oriente et nous commande avant que nous n'y ajoutions le tribut de notre propre action; celle-ci en ratifie et souvent même en accuse les composantes. Le résultat négatif du jeu des libertés antérieures à la nôtre, dont nous sommes spirituellement tributaires et auquel nous contribuons à notre tour, la Première Épître de Jean l'appelle « le monde de la concupiscence et de la convoitise » (2,16); il nous est d'ailleurs aussi intérieur qu'imposé, car nous avons tôt fait de consentir au monde dans lequel nous baignons. Le plus aisément descriptible de ce péché du monde, antérieur à notre liberté, n'est autre que la communauté historique des hommes, véhiculant en soi des types de comportements, des habitudes de pensée et de mœurs, des tropismes de groupes ou de milieux, parfois même de culture, allant plus spontanément dans le sens du moins bon que souvent du meilleur, pour ne pas dire qu'il favorise bien des fois le franchement mauvais.

Tel est le premier sens de ce péché qu'on nomme *originel*, parce qu'il est *antérieur* à la liberté de chaque individu qui s'en trouve objectivement marqué, du fait qu'il entre dans un monde *historiquement* pécheur. Répondre ainsi au problème que pose l'existence en nous d'une hérédité pécheresse, c'est sortir de l'idée d'un pécheur causal à qui l'on devrait imputer l'existence du patrimoine négatif de notre liberté. L'intelligence de la foi est ainsi libérée d'une idée odieuse autant que ridicule qui ferait d'un seul individu, pas plus humain que nous, la cause personnelle de la situation pécheresse de tous les autres hommes, et qui plus est, de la douleur du monde et de la mort de chaque individu, depuis sans doute deux mille millénaires. Apparaît aussi en meilleure lumière la signification positive du baptême.

LA SIGNIFICATION DU BAPTÊME

C'est donc par notre entrée dans l'humanité pécheresse que nous sommes par naissance pécheurs, comme l'enseigne l'Église. Le péché originel dont il est ainsi question n'est donc d'abord rien d'autre que notre appartenance native à l'historicité pécheresse du monde. Mais de même que nous naissons à l'existence humaine, naturellement comprise, sans y être pour rien, de même est-ce sans la moindre faute de notre part que nous entrons dans un monde historiquement pécheur. Il va donc de soi qu'aucun enfant ne devient, en naissant, *subjectivement* pécheur; il entre seulement dans un monde affecté par la dimension négative du péché; celle-ci devient *objectivement* la sienne, comme les dimensions positives du monde le deviennent aussi. Le baptême confère donc à cet enfant, par-delà l'appartenance première au monde uniquement humain qui, de fait, est pécheur, une appartenance effective au monde divinisant et sauveur du Christ. L'enfant que l'on baptise passe de la génération humaine qui le fait entrer dans l'héritage de grandeur et de faute propre aux hommes, à la régénération dans le Christ qui le rend participant du monde nouveau créé par le Ressuscité. Ainsi l'incorporation naturelle d'un enfant à ce monde par voie de génération tout humaine s'approfondit et trouve sa plénitude dans l'incorporation vraiment divine au Corps du Christ qu'est l'Église. On peut donc présenter le baptême comme un transfert de « situation » existentielle [27]. Au lieu d'être seulement inséré par naissance dans la seule objectivité humaine et pécheresse de ce monde, le baptisé reçoit, de l'Église et en elle, le signe qui le situe visiblement dans le mystère du Christ et qui en produit spirituellement l'effet. C'est de cette situation de grâce, signifiée par l'Église et qu'on peut vivre en elle, que le non-baptisé est privé; c'est d'elle, en revanche, que l'enfant baptisé acquiert le bénéfice, avec toutes les conséquences vitales qui en

---

27. SCHOONENBERG, *op. cit.*, p. 240-241.

découlent pour l'existence entière, si du moins l'être chrétien, inauguré par le baptême, est vraiment honoré par la suite comme il se doit de l'être.

UNE QUESTION QU'ON NE PEUT ÉVITER

Si plausible que paraisse peut-être cette interprétation, elle laisse une question pendante. Le récit du péché est-il seulement dans le chapitre 3 de la Genèse une parabole du péché *actuel* du monde ou, au contraire, tout en gardant sa valeur de symbole pour nous, possède-t-il aussi une signification précise en tant qu'il vise prophétiquement le *premier* des péchés? Pour répondre à une telle question, il faut accepter de s'en poser une autre sans rapport apparent avec la première.

Ramener la faute originelle, telle qu'elle nous affecte en naissant, au péché du monde comme nous venons de le faire, n'est-ce pas tellement radicaliser le péché qu'il prend dans l'histoire l'allure d'une nécessité et les traits d'un destin? Kant parlait à ce propos d'un « mal radical » dont on ne sait d'où il vient ni comment en sortir [28]. Sans aller jusque-là, ne faut-il pas reconnaître que si le mal, comme « péché du monde », est à ce point *originel* que tout homme qui naît en est objectivement affecté, c'est qu'un tel mal est *naturel* à l'homme? Mais s'il est naturel, ce n'est plus un péché, ce n'est qu'un produit de la nécessité ou un fruit du destin. A ce titre il n'est pas imputable à l'homme, qui le subit bien plus qu'il ne le cause et en outre, à travers la nature humaine dont il n'est qu'un aspect, il renvoie à l'auteur de l'homme et donc finalement à Dieu. Qui, de fait, a créé pareille liberté, passible d'un tel mal, sinon le Créateur lui-même? Sa responsabilité est d'ailleurs d'autant plus engagée que l'on affirme, comme nous avons vu que nous devions le

28. Le « mal radical » me paraît être chez Kant une appropriation philosophique fâcheuse du péché originel compris selon la seule tradition latine augustinienne et poussée dans ce cas à l'extrême. Sur ce point Rondet, *op. cit.*, p. 229-240. On pourrait faire des remarques analogues sur tout effort qui vise à justifier par le péché originel un sentiment de culpabilité apparemment indépassable mais qu'on n'a pas à justifier par une telle théologie.

faire [29], de *chaque* individu qu'il est, selon sa transcendance spirituelle, *directement* créé par Dieu. Dieu serait-il alors le véritable responsable du mal qui frappe la liberté?

C'est de cette illusion redoutable que le récit parabolique du premier des péchés a pour mission de nous tirer.

RÉCIT DE LA CHUTE ET ORIGINE HISTORIQUE DU MAL

Le récit de la chute distingue avec le plus grand soin les personnages, les rôles et les temps. Il montre comment l'Homme, sorti des mains de Dieu, entre par tentation, mais librement quand même, dans une rivalité, d'ailleurs ridicule, avec Dieu, qui le détériore à tous égards et qui l'arrache au « paradis », symbole de sa véritable patrie comme « image de Dieu ». L'avertissement moral concernant l'arbre dont les fruits ouvrent à une connaissance, destructrice celle-ci, et du bien et du mal [30], la proposition tentatrice, la complaisance progressive en cette tentation, la décision fautive, sa réalisation commune, la honte qui s'ensuit et pour l'un et pour l'autre devant soi, devant l'autre, la peur aussi de Dieu, la sentence divine sur chacun des acteurs et l'éviction du paradis constituent autant de moments, admirablement décrits et parfaitement distincts, du drame du péché. Tous et chacun doivent conduire à l'évidence que c'est le couple humain qui a vraiment péché. Tandis que la faute se prépare et lorsqu'elle s'accomplit, Dieu, en effet, disparaît totalement de la scène et laisse le couple primitif à son propre conseil. Mystérieusement éclairé par son Créateur, mais préférant les suggestions qui contredisent l'inspiration la plus pure

29. Plus haut, p. 37, 38; 41-43.
30. Nous nous sommes expliqué plus haut sur cette « limite ». Elle exprime que la liberté du non-Dieu ne peut accéder à sa propre vérité qu'à l'intérieur d'une dépendance à sa Source. La tentation porte précisément sur ce point et l'arbre de la connaissance du bien et du mal signifie symboliquement sans doute l'élément irréductible d'altérité et de dépendance que la conscience doit reconnaître dans son rapport constitutif à ce qui la promeut. Elle n'*est* pas le bien; elle y aspire et y tend; elle ne le « cueille », dirait-on, qu'en l'accueillant en elle comme *reçu* et non pas *seulement* fait par elle, encore qu'elle soit, bien sûr, *éthiquement* irremplaçable.

qui soit, le couple humain est le vrai responsable de sa faute et de ses conséquences. Dieu merci!

Si, de quelque manière que ce soit, Dieu pouvait être dit la cause du péché, celui-ci, en raison de sa divine origine, se changerait en bien; la liberté humaine serait livrée au chaos où, de surcroît, elle se débattrait en vain. Elle perdrait en effet toute lucidité sur le bien et le mal, toute responsabilité propre aussi, puisque son sort serait d'imiter, si du moins elle s'en différencie, l'incohérence morale qui aurait frappé l'Absolu. Les dieux d'Homère et leurs passions deviendraient l'archétype du mystère de Dieu. Certes, la « gnose » espère nous arracher à ce chaos en transformant le mal en Absolu qui ferait pièce à Dieu ou, plus subtilement, en présentant le mal comme un moment nécessaire de Dieu. Dans les deux cas, elle s'égare puisqu'elle divinise la réalité entièrement négative du mal.

En effet, malgré son réalisme terrifiant, le mal est entièrement relatif au Bien dont il représente, à des degrés divers, la pure négation. Si puissant et si dominateur qu'il soit ou paraisse parfois, il n'est jamais pourtant un absolu. Il surgit toujours, même en plein jour, comme une ombre, en second, en contre-position du bien dont il est et ne sera jamais que la contradiction ou la caricature. Jamais il n'est et ne sera complètement par soi-même assuré d'une victoire qu'il ne remporte que par violence et par usurpation. Pour exister il lui faut toujours supposer un bien qu'il ne fait que parodier ou détruire. Il vit en parasite et tient par pure opposition. Qu'a-t-il donc à voir avec Celui qui est simplement et toujours par lui-même et qui ne doit qu'à lui d'exister à jamais comme l'Être tout entier positif, sans la moindre adhérence constitutive avec ce qui n'est pas Lui? Bref, par sa nature même, le mal est étranger à Dieu, sinon pour s'opposer gratuitement à Lui. A ce point relatif et négateur du Bien dont il dépend comme sa pure contradiction, le mal, métaphysiquement considéré – et qui doit l'être aussi d'une telle manière afin de ne pouvoir finalement nous abuser – est tout sauf de l'absolu ou même du divin. Il s'insinue dans l'ordre du créé sous une forme rampante et soupçonneuse, mortifère par essence, comme le récit de la chute le suggère déjà de manière symbolique.

Pourquoi, comment, demande-t-on alors, Dieu peut-il

créer ce qui va engendrer le mal ou en porter la marque ?
Pourquoi, comment peut-il créer un être libre qu'il prévoit
peccable et donc aussi pécheur ? – La réponse totale à
pareille question ne peut être chrétiennement avancée
qu'en fonction du rapport que Dieu lui-même contracte
avec la misère effective du monde qu'il crée. L'incarnation
n'est pas moins éclairante sur le mal moral que sur les
maux physiques et nous le reverrons [31]. Mais il faut d'abord
dire avec un saint Jean Damascène († 754) que si Dieu
prévoyant l'existence du mal s'était abstenu de créer, il
eût reconnu que le mal était plus fort que lui, puisque ce
mal aurait inhibé en Dieu même le désir de créer [32]. A
quoi nous devons ajouter aussitôt, tant cette vérité fait
partie du Message : ce Dieu qui se montre ainsi, en créant,
plus puissant que le mal, a pris sur lui en s'incarnant tous
les maux relatifs à l'œuvre ainsi créée, qu'ils soient de la
nature ou de la liberté ; il l'a fait pour que nous puissions
les porter comme un moment, parfois tragique et pourtant
nécessaire, de notre identité. En prenant notre chair,
l'Infini prend sur lui toutes nos finitudes et, grâce à
l'extension sans mesure que son incarnation revêt en notre
histoire, il fait réellement siennes les détresses du mal
qu'en créant et pour pouvoir créer il n'a pu éviter [33]. Il
met ainsi sa propre Éternité et ses ressources de patience
et d'amour au service des douleurs autrement scandaleuses
de notre finitude et de sa liberté.

La portée du récit de la chute et l'espérance qu'il recèle
n'en apparaissent aussi que mieux. Sans aucun doute cette
première faute, décrite en parabole comme le sera celle
du prodigue, est une faute au sens moral de ce mot : elle
est pleinement imputable au premier couple humain, quel
qu'il soit ou puisse être. Le serpent, symbole élémentaire
de Satan qui est le mal en sa racine, liberté devenue pur
refus, est lui aussi coupable, mais il l'est dans ce cas d'avoir
induit la faute, non de l'avoir commise. Évidemment aussi,
la faute n'est pas l'œuvre de Dieu qui crée la liberté mais
non pas le péché que la liberté en retire. C'est pourquoi

---

31. Plus bas, chapitre quatrième.
32. *De fide orthodoxa*, IV, 21, PG 94,1197B.
33. Selon le point de vue, enfin reconnu, d'une souffrance possible de Dieu,
en vertu du pouvoir qu'il a de faire par liberté d'amour pour nous ce dont il
est affranchi par privilège de nature (métaphysiquement comprise).

dans le récit parabolique Dieu disparaît de la scène au moment du péché. Et de fait, laisser croire que Dieu serait le responsable de la faute équivaudrait à reconnaître que la liberté est pécheresse par nature et que sa faute est la faute de Dieu. Ce qui reviendrait à supprimer en même temps et la grandeur de l'Homme et la Réalité de Dieu. Il est donc sûr qu'au regard du récit, c'est à la liberté que revient dans l'histoire le péché.

Le récit ne dit pas pour autant que l'homme est nécessairement pécheur et moins encore péché, quels que soient par la suite les impatiences et même un certain désespoir de Dieu devant notre misère [34]. Pour la Genèse, la liberté humaine, dans sa finitude native, est éminemment fragile et donc aisément pécheresse; mais en son fond, telle que Dieu la désire et la crée, elle est « bonne » à ses yeux et « très bonne » (Gn 1,31). La faute qui marque l'exercice historique de notre liberté ne saurait annuler la valeur à laquelle Dieu se félicite d'avoir donné le jour [35].

Cette présentation, redisons-le encore, ne suppose aucune connaissance *empirique* des origines; elle suppose seulement le sens prophétique du péché, du pécheur et du rapport des deux. L'origine du péché dans l'histoire, affirme le récit, n'est pas à voir comme un destin contre quoi l'homme *ou* la femme, l'homme *et* la femme, ne pourraient rien, y étant par nature condamnés; le péché n'est pas le résultat d'une entropie insurmontable, ce n'est pas une structure dominant sans pitié la liberté humaine et dont un Dieu, plutôt mauvais que bon en ce cas, serait au fond le responsable! « Adam » et « Ève » ne sont en rien un futur Oreste ou une Hermione racinienne qui pourraient s'écrier : « Je me livre en aveugle au destin qui m'entraîne », Dieu étant à leurs yeux le principe d'une fatalité dont ils seraient d'innocentes victimes! En parlant du « péché » ou de la « faute » survenant au début de l'histoire, le récit biblique campe au contraire le premier

---

34. C'est le sens du déluge. Il ne décrit pas en parabole l'impatience de Dieu devant notre péché sans faire valoir aussi son « repentir » et la conclusion d'une « alliance cosmique » qui exprime le caractère irrévocable de la décision créatrice Gn 7-9. Voir Castel, *op. cit.*, p. 120-129.

35. Plus haut, p. 17-19.

couple, symbole annonciateur de tous les autres, dans l'ordre de la conscience et de la liberté : leur défaillance demeure le signe irrécusable de l'esprit qui, jusqu'en sa misère, fait leur plus grande dignité. A la source historique du mal, la Genèse nous révèle non pas un *destin* qui écrase les hommes mais un *acte* qui leur est propre et qui pourra se corriger, même si, à force de durer, ses conséquences s'accumulent et vont parfois en s'aggravant. Introduit par le vouloir humain, le mal moral n'est donc pas un absolu; ayant son origine dans la fragilité, il est foncièrement réparable. Mal engagée, l'humanité est susceptible de repentir et d'amélioration, parce que sa liberté est toujours en genèse et en reste, longuement, semble-t-il, à son état naissant.

Comment Dieu qui sait de quoi nous sommes faits pourrait-il d'ailleurs tenir vraiment rigueur à l'homme de n'avoir pas en lui cette impeccabilité qui n'appartient qu'à Dieu? Mais plus encore, puisque Dieu n'a rien à voir avec le mal, tous les espoirs sont permis à cet homme, s'il consent à se mettre du côté de son Dieu qui ne cesse de l'attirer à lui. Sans doute, le péché, effet de notre liberté, demeure toujours possible; nous sommes toujours tentés de ne pas nous aimer, en traitant le tout Autre que nous selon nos peurs ou nos soupçons. Mais Dieu, en qui n'existe aucune complaisance pour le mal, est entièrement acquis à notre conversion et représente le contre-feu d'amour, prêt à nous embraser pour nous purifier du moins bon ou du pire de nous-mêmes. L'épée de feu qui nous exclut du « paradis » exprime donc l'incompatibilité absolue – et d'ailleurs bienheureuse – de Dieu avec le mal que nous avons choisi; elle ne dit nullement que l'Amour de Dieu nous serait désormais à jamais refusé. D'ailleurs la promesse que le serpent sera écrasé par celle qu'il a d'abord vaincue exprime assez que l'apparition du mal dans l'histoire se double immédiatement du salut annoncé. A la différence du péché qui atteint le « premier » couple par le moyen d'un tiers étranger à la race des hommes, celui qui sauvera, par un amour entièrement donné, la liberté qui s'est perdue par l'amour dont elle a cru pouvoir douter, sera lui-même un membre de notre humanité. « Second et dernier Adam », semblable en tout au « premier », hormis le péché qui nous perd, il détruira par sa présence le mal que l'Homme s'est causé et se cause en s'écartant de Dieu [36].

Selon cette interprétation du « premier » des péchés, un dernier pas nous reste à faire, dont Irénée nous indique la trace.

LE « PREMIER » DES PÉCHÉS COMME UN RATÉ D'ENFANCE

De deux siècles antérieur à Augustin, Irénée en fut probablement ignoré. D'ailleurs le problème posé par Pélage, qui dotait la volonté de l'homme d'un pouvoir quasi discrétionnaire dans l'ordre du salut, aurait sans doute masqué à Augustin le bien-fondé de l'interprétation d'Irénée. En revanche, celle-ci s'harmonise de manière étonnante avec les données culturelles auxquelles la science nous a accoutumés. En effet, dans la vision irénéenne du péché originel, comme « premier » péché prophétiquement saisi dans le récit de la Genèse, ce péché est un raté d'*enfance* au sens si humain de ce mot.

Tandis qu'Augustin regarde le début de l'histoire spirituelle du monde sous le signe d'une effroyable catastrophe adamique, Irénée ramène le premier des péchés à une défaillance réelle mais encore enfantine. A juste titre. L'« homme, nous explique-t-il, n'a pas été créé tout fait comme il le rêverait parfois, afin de s'éviter le temps de la croissance » et plus encore, nous confie Irénée, le regret de « n'avoir pas été fait dieu dès le commencement ». Dès lors, « outrepassant la loi de l'humaine condition, avant même d'être des hommes, ils veulent être semblables à Dieu qui les a faits et voir s'évanouir toute différence entre le Dieu incréé et l'homme nouvellement venu à l'existence » [37]. C'est une illusion. « Du fait qu'ils sont nouvellement venus à l'existence, (les hommes, les premiers hommes) sont de petits enfants », ils doivent être traités comme tels. Si donc « Dieu pouvait quant à lui, donner dès le commencement la perfection à l'homme,

---

36. Plus haut, p. 53-57.
37. *Contre les hérésies*, IV, 38,4.

l'homme était incapable de la recevoir » vu son état naissant [38]. L'homme doit donc s'affermir en lui-même en tant que créature pour entrer en communion personnelle avec l'Incréé. « Quant à l'homme, continue Irénée, il fallait qu'il vînt d'abord à l'existence, qu'étant venu à l'existence il grandît, qu'ayant grandi, il devînt adulte, qu'étant devenu adulte, il se multipliât, que s'étant multiplié, il prît des forces, qu'ayant pris des forces, il fût glorifié, et enfin qu'ayant été glorifié, il vît son Seigneur : car c'est Dieu qui doit être vu un jour, et la vision de Dieu procure l'incorruptibilité, et l'incorruptibilité fait être près de Dieu » [39]. De cette « économie » de devenir et de croissance, qui retrouve le sens profond des genèses dont l'homme moderne est tellement marqué, une triple conséquence découle.

Le péché le plus grave n'est pas le péché initial, c'est plutôt le péché qu'on peut dire final et dont Paul lui-même annonce la venue [40]. L'homme en sa première apparition est pour ainsi dire un enfant qui ne devient adulte, même en ses fautes, que progressivement. Le développement individuel de l'être humain éclaire ici celui de l'humanité entière en lui servant d'analogie. S'il est vrai que l'enfant récapitule en quelque sorte avec une étonnante rapidité les étapes culturelles antérieures du monde où il paraît, l'humanité est à comprendre, selon le raccourci que tout enfant lui présente, pourvu que l'on déploie immensément les étapes que le monde a franchies [41]. Sans doute Irénée ignorait-il la durée de l'histoire et de la préhistoire, mais l'idée qu'il a eue d'une croissance de l'humanité à l'instar de celle de tout homme nous aide à accueillir les données que lui-même ignorait sur nos lointaines origines. Enfant dans la technique, la conscience, la pensée, le langage, pour ne rien dire de la taille de son corps et des dimensions mêmes de son cerveau, l'« habilis » ou tout autre individu qui représente nos origines, n'est-

---

38. IV, 38,1.
39. IV, 38,3.
40. 2 Th 2,7 et plus encore peut-être Lc 18,8 : « Le Fils de l'homme quand il reviendra, trouvera-t-il encore la foi ? »
41. Malgré l'avis contraire du Père Lyonnet, *art. cit.*, p. 554, je suis ici sans hésiter le point de vue du Père Ligier, *op. laud.* II, p. 277-283 qui ouvre une perspective capitale pour l'intelligence actuelle de la Préhistoire, d'un point de vue proprement spirituel, sans qu'il ait cherché à le faire.

il pas aussi un enfant du point de vue de la moralité ? [42]
Le temps des « fontanelles » ne vaut-il que pour la partie
la plus noble du squelette de l'homme, et pas aussi pour
son esprit et pour sa liberté ? Rien en lui n'est tout à fait
durci et ossifié. Une conception enfantine du péché
convient à cette humanité qui semble en rester longuement
à un état naissant [43].

La seconde conséquence est que l'exercice initial de la
liberté, qui jamais ne fut neutre, ne doit pas être compris
de manière dramatique, encore que ses modalités concrètes
nous échappent. Si la Genèse nous en donne une version
qui est plutôt tragique, c'est sans doute en raison du report
qu'elle opère du péché actuel sur le « premier » péché.
Mais ce report, il nous est conseillé de ne plus l'accomplir,
étant donné ce que nous savons désormais des commencements modestes de notre humanité. D'ailleurs Paul lui-
même, d'une façon inattendue et qui reste ignorée d'ex-
cellents exégètes, nous incite à le faire. Considérant une
histoire infiniment plus courte que celle que nous connaissons mais qui peut servir ici de *modèle* pour comprendre
la nôtre, Paul oppose un temps antérieur à la Loi – celle
du Sinaï – où le péché pour ainsi dire n'était pas imputé,
et le temps de la Loi, où il peut et doit l'être. Pour lui
aussi sans doute sous l'angle de la moralité, ce temps
antérieur à la Loi est à comprendre comme un temps de
l'enfance. Ne dit-il pas lui-même en Rm 3,25, que « Dieu
a laissé *impunis* les péchés d'autrefois », c'est-à-dire antérieurs à la Loi ? [43]. De même donc qu'encore petit et
immature un enfant peut « pécher » – matériellement
s'entend – presque sans le savoir, de même l'humanité

---

42. Dans la liturgie de Kippour – la grande purification d'Israël pécheur –
il était dit notamment selon le Talmud de Babylone : « Seigneur de l'univers
considère leurs *péchés délibérés* comme des *inadvertances* », cité Ligier, *op. laud.*,
p. 236. Voir aussi tout le développement, p. 227-237.

43. Faut-il s'étonner, après cela, que l'Épître aux Hébreux définisse le grand
prêtre comme celui « qui est capable d'avoir de la compréhension pour *ceux
qui ne savent pas et s'égarent* » (5,3) ? A combien plus forte raison le Christ ne
sera-t-il pas « un grand prêtre incapable de compatir à nos faiblesses » lui qui
« a été éprouvé en tous points à notre ressemblance, mais sans pécher » (4,15).
Est-il assez clair que pour le Nouveau Testament le Christ non seulement
reconnaît les péchés d'ignorance, mais encore la faiblesse tout humaine qui les
explique ? Il peut donc bien être aussi pour des hommes pécheurs cet
accompagnateur plein d'amour dont nous avons parlé plus haut, p. 41-43.

dans son enfance, peut « pécher » sans que sa faute lui
soit directement imputable. On peut parler à propos du
péché pour chaque individu et pour l'humanité antérieure
à la Loi, d'une sorte d'innocence *subjective*. Certes les
contenus objectifs des conduites et des comportements
restent pourtant ou sont déjà marqués par des déviations
objectives, mais elles n'engagent pas encore la conscience
comme le fera la Loi.

La Loi étant connue de manière explicite et la responsabilité devenant effective pour une conscience qu'on
estime dès lors éclairée, le Nouveau Testament nous révèle
que des fautes aussi redoutables que la trahison de Jésus,
son procès, sa condamnation à mort peuvent être regardés
comme des fautes d'ignorance. Pierre invoque publique-
ment une telle ignorance pour excuser ceux qui ont
pourtant crucifié Jésus, selon Ac 3,17 et Paul sur ce point
l'a imité dans la Première Épître aux Corinthiens (2,8).
« Eh bien, frères! dit Pierre, pour ne citer que lui, c'est
dans *l'ignorance*, je le sais, que vous avez agi, tout comme
vos chefs. » Cette indulgence, soit de Pierre soit de Paul,
sur la mise à mort de Jésus n'est pas une opinion
personnelle qui traduirait les vues de leur auteur : c'est
l'attitude ultime de Jésus en personne. Sa prière sur la
Croix, pour ceux qui lui donnent la mort, est celle d'un
pardon plaidant lui aussi l'ignorance : « Père, pardonne-
leur, *ils ne savent pas ce qu'ils font* » (Lc 23,34).

Qu'est-ce à dire, sinon que plus notre mal de liberté est
profond, – et quoi de plus profondément coupable que la
suppression du Fils de Dieu dans la chair? – plus il peut
échapper à ceux qui s'en trouvent affectés. Comme le
primordial, l'ultime en nous se dérobe. Incapables de nous
représenter notre origine dans nos commencements, nous
sommes tout autant dépassés par les enjeux réels de notre
profondeur; seul Dieu qui constitue notre ultime grandeur
peut voir si et comment nous le nions vraiment. Aussi le
jugement lui est-il réservé, qu'il exerce avec un tact qu'on
peut dire infini. Terrible pour le péché qui est notre vraie
mort, Dieu est la douceur même pour le pécheur comme
l'Évangile en donne l'assurance. D'où la seconde conséquence que nous avons déjà laissé entrevoir : l'indulgence
qui vaut pour les péchés commis à la plénitude des temps
vaut *a fortiori* pour les péchés de l'origine. Il faut donc

penser d'une manière irénéenne le « premier » des péchés si l'on parle de lui et le présenter comme une faute d'enfance aisément excusable.

En troisième lieu, cette vision des origines permet de rapprocher sinon d'identifier tout à fait la modestie de nos antécédences et la médiocrité des premières décisions réfléchies. Sans jamais les priver de la grandeur inchoative qui convient à la présence de l'âme et de l'esprit, on ne peut davantage soustraire nos plus lointains ancêtres à la faillibilité inhérente à une conscience de soi, risquant alors ses premiers pas. Marquée dans son psychisme et dans son corps par des hérédités phylétiques encore infra-humaines, comment l'humanité se serait-elle dessaisie tout d'un coup des comportements antérieurs à sa propre venue? Certains, parmi lesquels prend place une agressivité élémentaire, doivent d'ailleurs rester intacts sous la régence de l'esprit. Contraints pourtant à une innovation quasi universelle, nos ancêtres abordaient sans aucun patrimoine culturel l'univers qui naissait de leur récente identité. Lucrèce nous dit qu'ils redoutaient au crépuscule de voir le soleil disparaître pour ne plus revenir! Sans doute cette terreur dut vite s'apaiser, mais des problèmes vitaux qui dépendaient de leur initiative les sollicitaient chaque jour. Deviner en ce cas quels furent les premiers éclairs de l'esprit, c'est évoquer sans doute l'émerveillement, inconnu jusqu'alors, devant le fait d'exister [44]; c'est aussi et peut-être surtout voir les premiers humains s'engager dans les tâches pressantes de leur quotidienne survie. C'est donc à l'intérieur des conditions et des contraintes élémentaires de nutrition, d'habitat, de vêtement peut-être, et à coup sûr d'engendrement et de défense, que s'exprimaient en eux les premières poussées de l'esprit, sous forme de choix intéressés et d'amour naissant.

Du reste, tant que dure la période où seuls les documents de pierre peuvent hypothétiquement nous parler, sacrifier toute image trop précise de la vie primitive des hommes est sagesse. Une telle réserve comporte d'ailleurs du point de vue spirituel une précieuse indication. Pour penser en effet l'inclusion des premiers êtres humains dans l'histoire

---

44. Plus bas, p. 106-108.

salvifique du monde, il nous faut regarder avant tout l'élection dans laquelle ils se trouvaient saisis et dépassés, comme le sont encore tous les enfants qui naissent à notre histoire.

ORIGINE DE L'HOMME
ET ÉLECTION DE DIEU

Que Dieu ne crée jamais un être humain en dehors du dessein de « conduire jusqu'à la gloire une multitude de fils » (He 2,10), c'est le rudiment du message chrétien dont Irénée nous a rappelé l'essentiel. Dans cette perspective, l'incarnation qui nous sauve toujours apparaît d'abord comme une œuvre de compréhension créatrice, d'accompagnement et de soutien au bénéfice de tout homme « nouvellement venu à l'existence », comme le dit Irénée; il le fait dès les degrés infimes de son état naissant, que sont « l'habilis », l'« erectus » ou quelqu'autre forme plus modeste de l'homme. Dieu nous prend au plus bas de la colline humaine et nous suit pas à pas jusqu'au « sapiens sapiens », sans négliger aucun des « néanderthaliens » de l'histoire. Dans ces lentes étapes personnelles et sociales, de naissance, de croissance et de maturité, il s'agit d'abord d'une gestation culturelle de l'homme en sa grandeur adamique première; mais, qu'on le sache ou non, il s'agit aussi bien de la gestation spirituelle, dérobée, contredite et, parfois, mieux accueillie en profondeur qu'il ne le paraîtrait en surface, qui nous fait accéder tous et chacun à la vie du « second » et du « dernier Adam », le Fils de Dieu en notre chair. La première gestation dépend de la génération biologique et se fait dans le berceau culturel que l'humanité construit elle-même à grands frais jour après jour, siècle après siècle et millénaire sur millénaire; la seconde, qui est aussi l'ultime en importance et signification, s'accomplit dans le même berceau mais sous le signe du Fils de l'homme qui reçoit le pouvoir de transmuer les mortels en élus de la résurrection. Sans détruire les liens du sang et de l'esprit qui les fait historiques et humains – et inhumains parfois – et par-delà toute résistance, soit de misère soit de péché, il est ce merveilleux ferment qui fait lever toute la pâte humaine dans l'attente implicite ou formelle de l'accomplissement qui nous est réservé. Car si « nous lui faisons un crime, selon le mot d'Irénée, de ce que nous n'avons pas été faits dieux dès le commencement, mais d'abord hommes et seulement ensuite dieux », il reste vrai que notre histoire est sous le signe de Celui qui nous ayant créés « nous a dit et ne cesse de nous dire : « vous êtes des dieux, vous êtes les fils du Très-Haut ». C'est lui, qui « dans son amour et sa puissance triomphera enfin de la substance de la nature créée » et fera que « ce qui est mortel » (soit) vaincu et englouti par l'immortalité et ce qui est corruptible (le soit) par l'incorruptibilité », l'homme entrant de la sorte dans la gloire de Dieu [45].

Cette divine économie de l'homme, désirée depuis l'aube du monde et prophétisée par l'Ancien Testament, se réalise dans le Christ; elle doit être proclamée par l'Église jusqu'à la fin des temps. Tout en étant divinement constitutive de notre identité, elle dépasse tellement, comme le dit saint Paul, ce que l'œil peut voir, l'oreille entendre, et le cœur concevoir (cf. 1 Co 2,9), qu'il n'est pas étonnant que nous soyons constamment en deçà d'une telle vocation; nous-mêmes ayant la vue trop basse pour la saisir vraiment, elle nous paraît bien souvent chimérique pour ne pas dire nocive en sa sublimité. Et pourtant, puisque nous existons, nous nous devons à elle; malgré notre ignorance ou nos erreurs, elle commande notre accomplissement d'homme, selon l'ouverture infinie de chaque liberté à la béatitude. Créés pour devenir inséparablement des *hommes* dans le monde et des *fils* pour Dieu, nous avons à vivre notre croissance humaine au cœur de la filialité. Notre différence de finis envers l'Infini, de créés envers l'Incréé, que nous craignons ou que nous rejetons comme contraire à notre dignité, nous sommes appelés à la vivre dans l'histoire selon un « oui », aussi total qu'est total le « oui » du Fils au Père dans l'éternité de l'Esprit. Étonnons-nous alors que, venant de si bas pour monter si haut, nés si petits pour devenir si grands, créés si débutants avant d'être à ce point accomplis, nos façons de répondre, communes

---

45. IV, 38,4.

ou personnelles, de tous et de chacun y compris le « premier », n'aient pas été et ne soient pas ce qu'elles devraient être, et qu'elles puissent prendre l'allure d'un faux pas et parfois d'un refus.

Aussi bien, synthétisant l'histoire spirituelle du monde sous la rubrique d'un seul homme, faisant de toutes nos erreurs et de toutes nos fautes un seul ensemble à abolir dans son pardon, Dieu peut donc « enfermer tous les hommes dans la désobéissance pour faire miséricorde à tous », comme l'enseigne saint Paul (Rm 11,32). Le simplisme apparent du processus de la condamnation, qui ne tient, semble-t-il, aucun compte des différences de degré dans la culpabilité relative de chacun sur l'ensemble des âges, est en réalité un effet de l'amour et non de l'injustice. Un seul *fait* le péché au regard de la révélation : « Adam » le premier homme; un seul aussi *donne* le salut et de manière surabondante : le Fils de Dieu qui transfigure notre chair. « Car de toutes façons », la chose est décidée, Dieu dans le Christ se réconcilie le monde : « Il ne met pas leurs fautes au compte des hommes » mais les place au contraire sous le signe d'un pardon infini. De fait, « Celui qui n'avait pas connu le péché, il l'a, pour nous, fait péché, afin que, par lui, nous devenions justice de Dieu » (2 Co 5,19,21). « Que dire de plus, pouvons-nous ajouter avec Paul lui-même? Si Dieu est pour nous, qui sera contre nous? [...] Oui, j'en ai l'assurance : ni la mort ni la vie, [...] ni le présent ni l'avenir [...] ni les forces des hauteurs ni celles des profondeurs, ni aucune créature, rien ne pourra nous séparer de l'amour de Dieu manifesté en Jésus-Christ notre Seigneur » (Rm 8,31-39). Le plus important dans la foi n'est donc pas le péché, originel ou non, mais l'amour qui nous fonde, auquel nous avons à répondre et dont nous sommes infiniment aimés.

AMOUR ORIGINANT PLUS QUE PÉCHÉ ORIGINEL ET RÉPONSE CHRÉTIENNE AU PROBLÈME DU MAL

Si Dieu a accepté pour nous faire exister le chemin qui paraît parfois le plus imprudent et le plus scandaleux pour notre liberté, qui nous semble en tout cas le pire qui soit par les douleurs et par la mort de finitude que nous y rencontrons, nous pouvons être sûrs qu'un pareil chemin est celui de l'amour et de rien d'autre en Dieu. Si l'existence des hommes comporte un tel lot de douleurs et de mort, ce n'est donc pas une négligence ou un défaut de savoir-faire ou par manque d'amour de la part de Dieu. La réponse chrétienne au problème fantastique du mal ne peut partir que de l'amour que ce problème met en cause. Pour éteindre si possible – et pourquoi pas ? – le foyer de scandale qui semble devoir couver jusqu'à la fin du monde, que déferlent en l'esprit les plus folles audaces que la foi justifie !

Si donc Dieu, révélé comme l'Amour même, a vu que pourrait exister un meilleur chemin que celui qu'il a pris en tant que créateur, et qu'il ne l'ait pas fait, osons dire que nous aurions le droit, vu le calvaire des humbles que constitue l'histoire, de douter qu'il soit vraiment l'Amour, comme il nous dit qu'il l'est ! Mais, puisque nous savons que « Dieu a tant aimé le monde qu'il a donné son Fils pour que le monde ait la vie sauve » (Jn 5,17), nous devons renverser la proposition précédente et résolument prétendre et affirmer : si la création est ce que nous en savons avec ses douleurs de nature et de libertés abîmées, c'est que pour Dieu lui-même qui voulait qu'existât en toute vérité du non-Dieu qui eût par rapport à l'Infini une identité propre, il était, autant dire, impossible que le chemin fût différent ! Comme un tel chemin ne pouvait que paraître terrible et scandaleux, il a donc décidé d'y marcher le premier pour nous faire savoir Lui-même que le fond du mystère n'est pas de la part de Dieu une « déréliction », mais qu'il est bien plutôt une immense procédure de genèse de l'autre, aux fins toutes nuptiales d'une étonnante et divine communion. Sans être le meilleur qui soit sous le rapport des purs *possibles* qui nous viennent à l'esprit dans les heures de scandale, le monde dont Dieu accepte d'être pour nous le responsable, du point de vue de la nature et de la liberté, est le meilleur qu'il voit. D'où le voit-il ainsi ? De l'amour non fini qu'il nous porte et dans lequel il nous assiste, en devenant pour ainsi dire le Premier des souffrants, la co-victime de son monde, mais à ce prix notre Libérateur à tout jamais Divinisant.

Deuxième partie

PRÉHISTOIRE

Essai d'anthropologie des origines

Quelle que soit l'importance des données de la science sur les origines de l'Homme, elles ne sont pas le fondement de l'interprétation du péché originel proposée dans cette brève étude. Elles en furent pourtant l'occasion et plus encore le stimulant. Le fondement en est le contenu même de la foi, mais la manière de le comprendre et de le présenter ne put que subir l'influence, heureuse espérons-le, des meilleures acquisitions du savoir. Les pages qui forment cette deuxième partie voudraient donc en présenter l'essentiel du point de vue de la préhistoire et le faire à l'intérieur d'une réflexion d'ordre philosophique qui met en relief l'irréductible originalité de l'Homme et de l'humain dans la nature. Elles voudraient aussi permettre de comprendre moins mal comment cet Homme peut devenir l'élu de Dieu ou plus exactement encore – mais c'est la foi et non la science ou la philosophie qui nous le dit – elles voudraient suggérer que si l'Homme est apparu tel dans la nature c'est pour y devenir, lui aussi, grâce au Christ et par l'effusion de l'Esprit, un co-partageant du mystère de Dieu.

3

L'Émergence de l'Homme dans la nature

Émergence, et non pas transcendance de l'homme, selon une formule qui pourrait, elle aussi, convenir. Cependant émergence exprime mieux le fait que l'originalité de l'homme dans la nature, tout en impliquant une coupure et une nouveauté, ne supprime ni l'importance vitale du conditionnement ni les multiples liens d'une continuité indéniable avec la nature en général et le monde de la vie en particulier; cette continuité est d'ailleurs conforme aux lois qui président à l'évolution générale des vivants, sans compromettre la césure que l'homme représente et dont nous verrons plus loin quelques traits dominants. *Émergence* introduit mieux aussi l'effort de réflexion, délicat, nuancé et pourtant résolu que les découvertes paléontologiques et les données de plus en plus archaïques de la préhistoire exigent du philosophe et du théologien, si l'un et l'autre veulent en faire valoir la portée sous l'angle qui leur est propre. Sans doute, les faits scientifiques imposent-ils d'eux-mêmes l'idée de l'émergence humaine au sein de la nature; cependant ces faits sont d'une telle importance, leur richesse est si grande qu'une élaboration nouvelle d'ordre philosophique, à laquelle le théologien est autant ou même plus que quiconque intéressé, est encore nécessaire; c'est elle que je voudrais risquer.

Du point de vue paléontologique, l'émergence de l'homme est inséparable de l'apparition de l'outil ou plus exactement encore de l'outillage et d'une industrie lithique élémentaire. L'outil ne suppose-t-il pas en effet une intention anticipatrice, qui suppose à son tour et implique l'intelligence proprement dite, la conscience de soi et l'esprit? Comment refuser une telle analyse? Et pourtant, comment aussi en être pleinement satisfait? Car l'abeille, l'oiseau, le castor ne font-ils pas eux aussi de l'*intentionnel?* Pourquoi alors les priver de ce que nous nous attribuons à nous-mêmes? Mais par ailleurs aussi comment le leur donner? D'où la nécessité de pousser plus avant la réflexion sur le critère d'humanité que représente l'outil.

Nous procéderons en trois temps. Le premier comprendra trois remarques préliminaires; dans le second nous verrons *pourquoi* on *doit* parler de l'homme à partir de l'outil; dans le troisième nous essayerons d'analyser la part d'humanité impliquée par l'outil et qui, cependant, le déborde. La première partie dépend d'une certaine expérience d'interdisciplinarité; la seconde assume d'aussi près que possible les données de la science; la troisième, en s'appuyant partiellement sur elles, poursuit une analyse plus purement philosophique devant laquelle un scientifique a droit à ses réserves mais non pas, ce me semble, au dédain.

TROIS REMARQUES PRÉLIMINAIRES

De ces trois remarques, l'une est de méthodologie, la seconde de langage, et la troisième de contenu.

Les choses et l'esprit
ou le fossilisé et le non-fossilisable

Et d'abord, nous ne devons ni négliger l'outil ni nous laisser hypnotiser par lui. Seul l'outil de pierre est par nature fossilisable; l'os excepté, tout ce que les premiers êtres humains ont pu utiliser comme instrument, hormis la pierre, était friable et n'a pu être « archivé » par les soins de la terre. D'où l'importance sans égale du document de pierre. *Mais* peut-on nier, pour autant, qu'aient existé, *alors,* des signes culturels qui nous restent inconnus parce qu'ils ne sont pas fossilisables? Réduire *tout* le réel humain initial au *seul* fossilisé et donc aussi au *seul* fossilisable relèverait soit d'un système soit d'une inadvertance. L'inadvertance, supposons-la réelle, s'explique par le fait qu'en portant toute l'attention qui convient sur les seuls documents fossilisés, on risque d'oublier ceux qui n'ont pas pu l'être. Quant au système, il est plus délicat d'en déjouer la ruse. Sans les signes objectifs laissés par l'homme aux origines, on ne saurait strictement rien de lui. En ce sens-là, notre savoir sur nos lointains ancêtres dépend de traces *objectives* qu'ils ont laissées d'eux-mêmes. Mais s'ensuit-il – tel serait le système – que l'homme *s'identifie* à ces *seuls* documents et que la préhistoire *ne* peut parler de lui qu'*en* langage de *choses* et nullement d'*esprit*?

Tout document préhistorique implique, en son objectivité même, ce qu'on a appelé « la pression d'un espace intérieur [1] ». *La nature,* ou l'espace *extérieur* comme tel, non plus qu'*un animal quel qu'il soit* n'a pu produire des figurines ou même des choppers [2]. Les unes et les autres exigent un « espace » productif nouveau, propre à l'auteur des objets que l'on appelle « humains »; ceux-ci n'apparaissent au-dehors qu'en fonction d'une *démarche,* M. Cauvin dit d'une « *pression* » du dedans, que nous reconnaissons en nous comme étant la « pression » créatrice de l'esprit. Or il est clair que cet « espace intérieur », s'il existe vraiment, et pas davantage la « pression » qu'il exerce sur nous ne sont *vraiment des choses;* ils ne sont donc pas *de soi fossilisables,* alors que leurs produits le sont. Il en résulte que des *objets* ont pu réellement exister sans être fossilisés, mais aussi et surtout que les *objets* humains fossilisés relèvent en eux-mêmes du *non-fossilisable* par excellence, à savoir *l'esprit* de ceux qui en furent les artisans. Certes il faudra préciser la nature et le rôle du non-fossilisable à la source des œuvres humaines fossilisées, mais il est important d'avoir discerné l'illusion qui permet de négliger, scientifiquement dit-on, l'existence préhistorique de l'esprit, sous prétexte qu'il n'est pas de l'ordre des objets dont doit traiter la préhistoire. Mais les « objets »

1. Joseph CAUVIN, « La religion au néolithique » (conférence dactylographiée pour le groupe interdisciplinaire de sciences et de théologie à la Faculté de théologie de l'Institut catholique de Lyon).
2. Le chopper est sans doute la forme la plus élémentaire d'instrument humain qu'on connaisse. Il implique la rencontre de deux plans de taille qui forment ainsi un instrument plus ou moins contondant. Pour les représentations voir les ouvrages indiqués chapitre premier note 11.

n'ayant pas d'explication réelle en dehors des « sujets » qui ont pu les produire, la réduction des savoirs scientifiques de l'homme préhistorique aux *choses* seulement est un appauvrissement arbitraire qu'on érige en système. Le préhistorien n'a pas à se vouer à un matérialisme qui, dans l'homme étudié en ses premiers vestiges, tiendrait pour réels ses outils et ses dents, à l'exclusion de son esprit.

En revanche, il faut éviter le péril symétrique : mettre *toute* la valeur de l'homme au *seul* compte du non-fossilisable, c'est-à-dire de l'esprit *séparé* de ses œuvres, alors qu'il est évident que l'esprit se révèle *à* nous et se révèle *en* nous sous une *forme incorporée*. Il est aussi faux de le *réduire* à sa seule objectivité dans le monde que de l'en *dispenser*. Le premier péril guette plutôt des scientifiques, le second plutôt les philosophes. De toute manière, l'interdisciplinarité des scientifiques, des philosophes et des théologiens, pour aller droit aux disciplines les plus complémentaires, s'avère indispensable dans la question des origines. Le philosophe doit pouvoir protéger le scientifique de l'inertie matérialiste que sa méthode implique, mais le scientifique, par les faits qu'il expose, interdit que le philosophe ou le théologien en vienne à définir la spécificité de l'esprit en oubliant son incorporation dans le monde. L'obstacle sur lequel une anthropologie des origines risque de faire naufrage est donc double : il prend la forme soit d'un matérialisme qui, pour « sauver » l'objectivité de l'homme contesterait la réalité de l'esprit, soit d'un idéalisme qui, pour « sauver » l'esprit, négligerait ou le corps ou le monde qui permettent à l'esprit de se manifester.

La seconde remarque méthodologique découle de la première et en fait apparaître de nouvelles conséquences, d'ordre philosophique.

L'explicite et l'inconscient : le « modèle » de l'enfant

Pour éviter la réduction « idéaliste » de l'homme, l'ouverture aux données de la préhistoire devrait semble-t-il suffire; mais pour échapper à la réduction « matérialiste », une distinction, d'ailleurs classique, peut nous rendre service; elle porte sur l'*explicite* ou le *consciemment exprimé* et sur l'*implicite* ou le *simplement exercé.* Dans la vie de l'esprit – et la psychanalyse elle-même en déplaçant cette distinction ne la récuse pas – on a toujours tenu à distinguer entre une activité *consciente de soi-même,* ou qui se croit telle, et une activité qui *s'exerce vraiment,* sans avoir conscience qu'elle le fait; Monsieur Jourdain « fait » à son insu de la « prose », l'individu qui rêve ignore rêver. La conscience de soi peut donc donner des *signes* de *sa* réalité *sans exprimer et même pouvoir exprimer qu'elle le fait.* On dira que la conscience de soi existe alors sous une forme *exercée* sans qu'elle se présente de *manière réfléchie* à soi-même ou aux autres. Exercée, pratiquée, sans être réfléchie, elle est dite *implicite;* on la dira formelle ou *explicite* si dans son exercice elle réfléchit sur soi. En préhistoire cette distinction a un rôle à jouer.

Avant que l'écriture ait été inventée et que l'homme puisse se dire lui-même de manière formelle, la préhistoire ne rencontre jamais les sujets que sous forme *implicite.* Aucun fossile ne dit « je »; la conscience de soi est toujours inférée à partir de ce qui en manifeste l'*exercice* concret, la *pratique* efficace, sans qu'on puisse jamais être sûr que la conscience de soi ait été *réfléchie.* C'est nous qui opérons la réflexion en établissant qu'une conscience subjective a été *opérante* et *réelle* dans des œuvres objectives où elle est peut-être seulement *impliquée,* sans avoir eu vraiment conscience qu'elle l'était. Nous retrouvons ainsi sous un jour nouveau le problème de « l'espace intérieur »; irrécusable et pourtant dérobé, il n'est accessible en lui-même que par dévoilement réfléchi portant sur ses effets; jamais on ne le constate directement lui-même comme on voit le soleil « monter » ou « descendre » dans le ciel. Cet « espace intérieur » qui est propre au sujet suppose la conscience de soi, implicite ou formelle, qu'on ne saurait nier, mais on n'en induit l'existence qu'à partir des *signes* qui nous en sont restés.

Une certaine expérience, même sommaire, de ce qui arrive à l'enfant devrait d'ailleurs nous éclairer sur les implications de notre préhistoire.

Bien avant qu'il dise explicitement « je », dès qu'il sourit ou impose sa présence par gestes ou par cris, tout enfant agit déjà en être humain et en véritable sujet. Il bénéficie alors de son identité *de manière implicite* à ses yeux, mais il en donne néanmoins des signes incontestables, à condition qu'il existe des êtres assez humains pour déchiffrer la *pratique* naissante de son humanité. Sans trop forcer les traits d'une analogie importante, on dira que l'enfance de chaque individu évoque à sa manière un moment décisif de l'humanité elle-même. Elle a certainement existé avant de savoir dire qu'elle le faisait ou même en avoir pour elle-même une intime conscience. Quant à nous, nous pouvons tout autant nous méprendre sur la portée réelle de la préhistoire de l'homme, en n'y déchiffrant pas les signes de l'esprit au sein de la nature, que passer à côté des messages inconscients que nous lance un visage d'enfant. Puisqu'on peut être un être humain sans posséder encore la conscience explicite qu'on en est vraiment un, l'état qui définit *grosso modo* l'enfant peut nous servir aussi à définir celui de l'humanité tout entière en son état naissant, qui a pu s'étaler durant des millénaires. L'humanité a donc pu prodiguer fort longtemps des signes de sa propre existence, sans que l'on soit sûr cependant qu'*elle s'est apparue comme telle à soi-même,* mais sans que l'on puisse non plus négliger sa grandeur au nom de sa précarité.

Le cerveau et l'esprit

Enfin, il y aurait à étudier plus avant le rôle du cerveau dans le fonctionnement de la pensée et donc sa part réelle dans l'émergence humaine. Quoi qu'il en soit des analyses très fines dont nous aurions à profiter dans ce domaine, on peut tenir le point suivant. Soit que l'on considère le développement pondéral, soit que l'on tienne compte de la différenciation qualitative du cerveau cortical, l'émergence de l'homme *directement conditionnée* par ce double facteur, ne se ramène pourtant ni à l'un ni à l'autre de ces deux éléments. Car le signe objectif de l'homme – une fois assuré un seuil minimal de cérébralisation –, n'est pas tellement *le cerveau en lui-même,* mais ce qu'il rend *possible* et qui *existe* grâce à lui, sans se *réduire* à lui. De lui-même le cerveau est un pur produit de l'évolution de la vie; n'a d'importance culturelle que ce qu'il permet de *penser* et de *faire*, par exemple l'outil. Si donc le cerveau est strictement indispensable au fonctionnement de la pensée et donc à l'émergence historique de l'homme, cette émergence ne se ramène pas à la connaissance, même implicite, du cerveau *en lui-même* – ce qui ne manquerait pas d'avoir lieu s'il était, à lui seul, le fondement ou encore la source de notre identité. Sûrement rendue possible *par* l'existence du cerveau, la conscience de soi ne saurait se réduire *à* la conscience qu'on a de son cerveau; elle en dépend, mais la dépasse.

Le cerveau, si complexe et merveilleux qu'il soit, demeure de l'ordre biologique, il ne fait pas partie de la conscience de soi qu'il rend *possible* sans en être jamais un *élément constitutif*. Un bon cerveau est comme un cœur en bon état : il sert d'autant mieux qu'on n'en a pas conscience. Le cerveau représente pour l'esprit le premier des outils, *organique* et *inné*, mais il demeure un outil; endo-somatique à souhait, il est merveilleux de silence en son fonctionnement et discret à ravir dans les services incomparables qu'il rend. Sans dédaigner le cerveau des oiseaux, nous pouvons dire du nôtre qu'il est avec la main ce qui permet à l'homme, si désarmé qu'il soit en naissant, d'être pourtant l'animal le plus doué qui soit, lui qui peut domestiquer tous les autres et même les dauphins. Les performances, obtenues des grands singes – le cas de Washoe est célèbre! – au même titre que celles des dauphins, sont des performances strictement dépendantes des hommes; toutes sont des effets, étonnants quelquefois, d'éducation et de dressage dont l'homme est le *seul* responsable et qui ne font que reproduire, au prix d'efforts parfois immenses, ce que l'homme a trouvé *de lui-même* et qu'un enfant apprend en se jouant. Pensons ici au « langage » purement associateur, jamais articulé et rarement transmis, des singes, dont on dit couramment et à tort, qu'ils *parlent,* comme si l'on ignorait ce que *parler* veut dire [3].

3. Voir Yveline LEROY, « Que peut-on dire de la communication animale? » A propos d'un ouvrage collectif dirigé par Th. SEBEOK : « *How animals communicate* », in *Journal de Psychologie* (1979), p. 86-94, où est mise en évidence la différence, souvent oubliée, entre le *signal* animal (par phéromones) et le *signe* proprement humain qui implique réflexion. Malgré les extraordinaires perfor-

La connaissance que nous avons déjà acquise, et que nous acquérons encore des processus cérébraux, n'a pas fini de nous surprendre. Il ne faudra jamais oublier cependant que le plus étonnant n'est pas, ne sera pas, que *nous les connaissions* – si admirable que soit un pareil savoir – mais qu'ils aient existé et qu'ils nous *aient servi* si longtemps, sans que nous en sachions rien. Ce qui veut dire que le *savoir* que nous avons ne fonde pas le *pouvoir* dont il est l'instrument; il fonde seulement l'usage que nous pouvons en faire et qui doit être de service et non pas de détérioration. En outre, le savoir objectif que nous acquérons désormais des conditions physiologiques de la pensée et de la conscience de soi, demeure un savoir *acquis par le sujet;* il est et il sera toujours un savoir de *l'homme sur lui-même.* Si l'homme y semble devenu, par *raison de méthode,* un *objet* de science, c'est toujours lui qui *se* considère comme un *objet* de recherche et *en cela encore,* il fait œuvre de *sujet.* Bref, c'est l'homme qui apprendra ou aura appris à connaître des fonctionnements jusqu'alors dérobés; mais ces fonctionnements connus de nous ne seront pas plus grands que nous, pas plus que l'univers, si infini qu'il soit mais qui s'ignore lui-même, ne dépasse en valeur l'homme qui le connaît. En effet, quelle que soit ou que puisse être l'importance, dans l'infime ou l'immense, des mécanismes corticaux ou des objets cosmiques, dont *nous* faisons déjà, dont *nous* ferons encore la découverte émerveillée, la *primauté subjective* de l'esprit qui fait notre grandeur humaine est et sera *irréversiblement* là, qu'on la promeuve ou qu'on l'oublie, qu'on la seconde, la mime ou la dégrade.

A la lumière de ces remarques, l'analyse qui va suivre devrait pouvoir échapper sans trop de peine à maintes réticences spontanées qui, autrement, demeurent souvent insurmontables.

---

mances de Sarah, le chimpanzé de David Permak, celui-ci reconnaît chez Sarah « l'absence de symbolisation spontanée », et donc de langage au sens humain du mot dans *Colloque Royaumont. Piaget-Chomsky,* Paris, Seuil, 1979, p. 311.

L'OUTIL COMME « RÉVÉLATEUR »
OBJECTIF DE L'HOMME

Lorsque Marx dans un texte célèbre du début de son œuvre[4] oppose le travail de l'homme à celui de l'abeille pour en tirer la supériorité du premier sur le second, il voit juste, mais il n'applique pas son principe aux données d'une préhistoire encore inexistante, du moins pour lui. Mais lorsqu'un Teilhard définit l'apparition de l'homme par le « pas de la réflexion »[5], il voit dans l'outillage préhistorique le signe de l'esprit, sans expliquer vraiment pourquoi. Il y a sur le fait culturel de l'outil un certain vide philosophique qu'il faut essayer de combler : en quoi l'outil mérite-t-il d'être pour la préhistoire le signe assuré de l'humain? Pour contrôler le bien-fondé d'une telle évidence, que je crois pour ma part justifiée, un double mouvement me semble nécessaire : le premier va de l'outil à la conscience de soi et le second revient de la conscience de soi à l'outil comme à son résultat « naturel ».

De l'outil à la conscience de soi

C'est, dit-on d'ordinaire, la taille *intentionnelle* qui ferait de l'outil un signe incontestable de l'homme. J'ai déjà exprimé le double sentiment de justesse et d'insatisfaction que m'a toujours donné cette opinion courante : sentiment de justesse à cause de la visée d'ensemble, car c'est bien du côté de l'*intentionnalité* qu'il nous faut regarder, mais d'insatisfaction aussi, car l'ambiguïté qui vient de la termitière ou du nid, intentionnels eux aussi, ou tout au moins intelligents, n'est pas levée *ainsi*. Sans doute peut-on ajouter avec Marx, que l'intention est *dans* la conscience de l'homme, alors que l'abeille est *mue* par une idée qu'elle *n'a pas;* mais la différence qu'on pose de la sorte

4. Dans *Les Manuscrits de 1844.*
5. Plus haut, p. 16.

et qui est juste *n'affecte pas l'objet* : la termitière n'est pas moins finalisée qu'un chopper; elle l'est même, d'une certaine façon, davantage, car une termitière ne peut servir à rien d'autre que d'être termitière et avec un *chopper* on peut faire bien des choses : casser, racler de la terre ou des peaux, couper sommairement, user, frapper, etc. Et que dire du tissage ou de la vannerie des *malimbus* de l'Afrique ou de la fauvette couturière de Ceylan [6]! Voyant pour la première fois un nid de *malimbus,* on peut le prendre pour un ouvrage de vannier africain. C'est dire, contrairement à ce qu'on répète sans cesse, que l'intentionnalité ou l'*idée* ou si l'on veut encore l'*intelligence* incorporée dans l'œuvre n'est pas *à elle seule* l'indice humain par excellence, car certains animaux, eux aussi, sont fort intelligents dans la transformation qu'ils font des choses.

Intentionnalité de la taille et universalité de la forme

Il ne suffit pas davantage de dire que l'homme *emporte* l'outil avec lui, et le singe jamais; car la remarque vise un comportement sans *qualifier en lui-même l'objet.* Or c'est l'objet qu'on trouve et c'est lui qui fait signe ou qui n'est rien du tout. Même le sol aménagé, pour important qu'il soit [7], ne paraît pas *à lui seul* un critère décisif, puisqu'il pourrait passer encore pour une forme de « nid », si l'outil n'est pas là.

Néanmoins, le fait que l'homme *emporte* avec lui son outil nous met sur un très bon chemin, car le geste implique que cet homme se dise à son propos, d'une manière ou d'une autre : « Ça peut toujours servir! » L'important d'un tel commentaire n'est pas seulement dans le « toujours » qui suggère une prévision explicite, il est dans l'allusion au « ça », c'est-à-dire, au chopper ou à un chopping-tool quelconque. En effet, pour que l'individu que nous croyons un homme puisse avoir cette idée sur un pareil objet, il faut que cet objet puisse *en lui-même* servir à *tout* et à *n'importe quoi.* Or c'est bien ce qui

---

6. Rémy et Bernadette CHAUVIN, *Le Monde animal,* Paris, Hachette, 1982, p. 72-79.
7. Qu'on trouve dès − 1,8 Ma (en millions d'années).

caractérise l'outil élémentaire par excellence qu'on nomme le chopper. Visiblement *taillé* et même *retouché* et donc, à ne pas s'y méprendre, *intentionnellement* fabriqué, il l'est en vue d'un usage qui demeure *indéterminé en lui-même*. Comme je l'ai dit plus haut, on peut frapper, on peut racler, on peut couper, en somme on peut *tout* faire avec un tel outil, quand il est bien en main. Disons que sa forme, pourtant précise, est potentiellement *ouverte* autant que sa fonction, alors qu'on ne peut *rien* faire *d'autre* avec un nid qu'y déposer des œufs et s'y mettre à l'abri. Objectivement parlant, l'intention qui est ici incorporée est réduite et fermée. Consciente ou pas, l'intention est purement déterminée et se rapporte à une fonction cataloguée. L'intention qui prend corps dans la confection d'un chopper n'a pas de fixité fonctionnelle. Certes, son utilisation n'est pas illimitée mais tout en étant spécifique, cet instrument implique en lui-même, *en raison de sa forme,* un éventail non négligeable de pouvoirs qui demeurent indistincts dans la structure de l'outil et que seul l'usage du manipulateur saura faire apparaître. Sans doute faudra-t-il un long temps pour que ces usages virtuellement impliqués dans l'indétermination première de l'outil prennent forme dans une différenciation objective; celle-ci donnera alors une industrie ou même plus simplement un outillage où se révélera de façon manifeste l'*universalité latente,* propre à l'outil humain *dès son apparition.*

Si l'analyse précédente est juste, elle peut nous éclairer vraiment. Pour honorer un consensus quasi universel nous cherchons en effet, dans l'outil, *tel qu'il est en lui-même,* le signe incontestable de l'humain; nous l'avons sans doute désormais découvert. Ce signe n'est pas seulement l'intentionnalité comme telle, qu'on trouve dans la termitière, la ruche ou le nid et qui n'implique pas, *de soi,* la conscience réfléchie de ce qui est ainsi fabriqué ou construit; dans l'outil au contraire, en son état naissant, non seulement l'intentionnalité est là, mais elle est là *sous une forme potentiellement universelle,* impliquant de la part de celui qui fait un tel objet qu'il n'est pas voué lui-même à *une seule fonction.* L'individu qui fait l'outil *sait,* ou du moins se comporte comme un être qui se sait « appelé », « disposé » à agir *en tous sens,* décidé à le faire et capable de mettre son dessein à exécution; en tout cas il s'équipe d'instruments qui possèdent en eux-mêmes une telle *ouverture* et qui répondent à ce *dessein.* Cette ouverture *opératoire,* de soi universelle, qui prend corps en l'outil et qui lui donne forme, n'est pas le fait d'un animal et de son seul instinct [8]. Cette ouverture instrumentale, entièrement nouvelle, est le propre d'un être chez qui est apparu l'esprit, dont Aristote nous dit, sans avoir été sur ce point démenti par personne, qu'il « est fait pour devenir en quelque sorte *toutes choses* [9] ». En l'homme, puisque c'est vraiment de lui qu'il s'agit désormais, trois nouveautés coïncident et se répondent sans doute exactement : celle de la main, celle de l'esprit et celle de l'outil sous la forme naissante d'une universalité potentielle qui paraît dans l'étonnante convergence de leur commune action. Au sein de la nature depuis toujours, nous a dit Baudelaire, « les couleurs, les parfums et les sons se répondent ».

Mais à l'aurore de l'histoire, marquant d'un trait incontestable l'orée de la culture, c'est l'esprit, la main et l'outil qui désormais s'accordent.

Marx avait donc vu juste en distinguant l'homme de l'animal par le caractère universel du travail de l'homme; mais, ignorant encore la préhistoire qui voyait à peine le jour, il n'a pas poussé l'analyse aussi loin que nous devons le faire désormais, pour montrer que l'outil est *en lui-même* le signe avéré de l'humain. En outre l'existence de l'outil présuppose non seulement l'intelligence au sens où le psychisme animal est lui aussi « intelligent », mais aussi la conscience de soi, c'est-à-dire l'esprit et donc la liberté.

Sapiens parce que faber

Aucun préhistorien ne tient plus à la distinction, accréditée par Bergson, entre l'*homo faber* et l'*homo sapiens.* Le *faber* le plus élémentaire, l'*homo habilis* peut-être, en tout cas l'*individu qui « fabrique » un chopper* – cette merveille

8. Yveline LEROY, « Les modes d'appréhension du réel chez l'homme et chez l'animal », dans *P. Grassé,* édité par les soins de la Fondation Singer-Polignac, Paris, Masson, 1986, fait justement remarquer qu'on ne peut pas appeler « outil » un objet quelconque manipulé occasionnellement par un animal et sans qu'il lui apporte une transformation appréciable en vue de cet usage.

9. ARISTOTE, *Traité de l'âme,* 430, a, 14-15.

inaugurale des techniques humaines – est déjà un *sapiens,*
et cela à deux millions d'années de nous. Son « coup
d'essai », selon notre estimation du moins, fut un « coup
de maître », car il a trouvé le moyen *de ne pas s'enfermer*
dans l'instrument élémentaire qu'il était parvenu à *tailler!*
La coupure anthropologique n'est donc pas à placer entre
« un » *faber* qui *ne* serait *que* faber (comme on dirait de
lui avec une nuance de mépris) et le *« sapiens »* qui
viendrait par la suite et qu'on prendrait, lui seul, comme
le premier homme; elle est à mettre, croyons-nous, entre
cet homme qui a désormais émergé comme un premier
sapiens, en raison de sa potentialité instrumentale universelle, et *tout* autre animal, si élevé qu'il soit. Ce que
fabrique en effet l'animal, même en dehors de lui, le lie
tout entier à cette chose *unique* qu'il peut réaliser : l'oiseau
ne sait faire *que* son nid, dont le modèle demeure en gros
ne varietur; hors de cette technique, par ailleurs admirable,
il est sans efficacité et sans « art » dans le monde. Des
montages, parfaits, emprisonnent donc l'animal qui s'en
trouve doté dans un seul type d'action, parfois ingénieux
au possible, mais toujours identique, même s'il est progressivement « appris ». Par contre l'originalité de l'homme,
on l'a maintes fois remarqué, est ailleurs; privé nativement
de tout montage proprement instinctif, il est capable de
les suppléer tous. Non seulement il fabrique des « outils
à faire des outils », mais aussi et surtout, ne s'identifiant
jamais lui-même avec ce qu'il fait, il est capable d'« utiliser »
toujours davantage le monde, *et d'accroître sa liberté* à la
mesure de ses constantes inventions qui n'affectent jamais
l'organicité motrice de son corps.

En l'homme, le monde n'a pas trouvé seulement un
usager *déterminé* de ses ressources, qui resterait à ce titre,
comme le castor, la fourmi ou l'oiseau, un *élément* de la
nature; en l'homme le monde a rencontré un « maître »
au pouvoir polymorphe et jamais arrêté, du silex à l'atome,
des graminées aux bactéries, pouvoir dont l'outil est à la
fois l'appui et le symbole. C'est ainsi que l'homme se
différencie de façon radicale de tout autre animal, quelle
que soit la consanguinité organique ou psychique qu'il ait
avec certains d'entre eux [10]. *Faber,* l'homme est donc en

10. On connaît les travaux de B. Dutrillod sur le génome des grands singes
et de l'homme.

ce sens, dès le début, *sapiens;* la césure avec les autres types d'hommes à venir, pour importants que soient les signes anatomiques d'un affinement progressif, concernant notamment la face et le cerveau, restera *secondaire;* la césure sera de *degré culturel et non pas de nature.* Avec l'animal, au contraire, *en raison de l'outil compris pour ce qu'il est vraiment,* la différence, passant par la réalité de l'esprit, est vraiment *de nature et non pas seulement de degré;* c'est une différence d'*ordre,* au sens que Pascal a donné à ce mot. Aussi bien, les progrès à venir de l'humanité désormais émergée, qui ne cessera pas de déployer les signes de sa propre émergence, s'exprimeront, *du point de vue taxinomique,* par un redoublement du nom qu'elle mérite déjà à son état naissant. Pour désigner la forme anatomique la plus haute de l'homme, celle du paléolithique supérieur, qui est aussi la nôtre, on parlera donc du *sapiens sapiens;* un tel redoublement confirme en nous, sans infirmer dans nos plus primitifs ancêtres, l'humanité déjà réelle que la science nous permet de repérer en eux.

Intérêt hors pair et cependant limité du seul « fossilisable »

Cependant (et nous préparons ainsi le second mouvement de cette analyse de l'homme à partir de l'outil), si l'outil est bien le signe indéniable de l'émergence humaine, il ne permet pas de nier que l'homme a sans doute existé avant qu'il ait su faire les outils que nous pouvons trouver. Que l'outil indique à coup sûr la présence de l'homme, ne veut pas dire qu'en l'absence d'outil l'homme n'existe pas. Sans doute l'outil de pierre est-il le premier signe culturel *fossilisé,* peut-être le premier qui soit *fossilisable,* mais nul n'en peut conclure que l'homme n'a commencé qu'*ainsi* et que son émergence n'a pas précédé la confection des seuls signes de pierre qui nous en restent et dont nous disposons. Bref, on doit identifier *positivement* l'apparition de l'homme avec celle de l'outil : s'il y a outil, l'homme est là; on ne peut pas le faire *exclusivement* et dire : s'il n'y a pas d'outil, il n'y a pas d'homme non plus. Des signes culturels, en matière périssable et dont la trace nous échappe, ont pu réellement exister bien avant les choppers que nous pouvons trouver. En ce cas, l'indice anatomique devient prépondérant, mais il est parfois plus fragile. Alors que l'outil permet d'intégrer au genre *homo* des individus qu'on en croirait anatomiquement éloignés, on s'expose peut-être, en l'absence d'outils fossilisés, à exclure sans raison du genre *homo* des individus jugés somatiquement « inférieurs », et qui, à notre insu, auront été humains! Le risque toutefois peut paraître minime puisque la présence de l'outil de pierre coïncide très tôt avec l'apparition des formes anatomiques auxquelles on peut l'attribuer. En un mot, l'outil de pierre est *capital* : il permet d'affirmer qu'a été traversé, en un point décisif, le Rubicon humain; il n'est pas *absolu* : son absence n'autorise pas à « ex-communier » de l'humanité primordiale, les individus qui n'en ont pas produit et qui, probablement, à l'origine, sont peu nombreux.

Ces subtilités, qui ne sont qu'apparentes, permettent d'éviter l'erreur méthodologique que j'ai signalée au départ : l'outil qui nous permet d'*induire* l'existence de l'homme nous permettrait, dit-on, de la *réduire* à cet unique indice. Le piège qui nous semble grossier est plus tentant qu'on ne le croit d'abord. En effet, accepter que l'outil fossilisable et donc fossilisé est un critère *positif* de l'homme sans que son absence soit à bon droit rédhibitoire, si l'on a des indices anatomiques par ailleurs favorables, c'est avouer que l'émergence humaine contient des éléments qui ne sont pas *scientifiquement repérables* comme peut l'être une intentionnalité, tout humaine déjà, de signes ou de « paroles ».

Dès lors, pour essayer de négliger le non-scientifiquement repérable, on sera tenté d'ériger *en principe la situation de fait;* on dira donc que l'homme *n'*existe *qu'*en fonction des signes familiers que nous manipulons. Mais ce *ne... que* n'a rien de scientifique; il signifie un postulat et repose sur une vision réductrice de l'homme, que l'on prétend ainsi fonder! Si, en effet, on décide que l'homme *n'*est *que* rapport au monde et *pur comportement objectif,* on se donne par là le droit d'affirmer que, dans le cas où des signes fossilisés de ce comportement n'existent pas, l'homme lui-même n'existe pas davantage. On peut même ajouter que la préhistoire, la vraie, la préhistoire sans préjugés, comme on le dit alors par abus de langage, fonde le matérialisme ou n'est justifiée que par lui! En réalité les faits scientifiquement connus *impliquent,* nous venons de le voir, la vraie profondeur de l'humain et ne justifient pas l'*idéologie* qui voudrait la nier.

Ce qui suppose aussi que la *réflexion,* exigée par les faits et exercée sur eux, n'est pas elle-même un *surplus* arbitraire. Le croire arrête net leur interprétation et confine le savoir dans un *positivisme absolu;* mais, étant un *refus de principe* sur le sens possible des choses, ce positivisme absolu ne saurait scientifiquement nous lier. Nous pouvons donc continuer un effort délicat mais vraiment légitime et passer au second mouvement qui nous permet de revenir de la conscience de soi à l'outil et qui permet aussi de *vérifier,* d'une certaine façon, que nous sommes allés *à bon droit* de l'outil à la conscience de soi.

De la conscience de soi à l'outil

Mais comment définir la conscience de soi en son état naissant, telle que l'existence de l'outil permet de l'inférer? Le « modèle » qui peut ici nous éclairer est à chercher, me semble-t-il, dans la pensée philosophique, elle-même à son état d'aurore, c'est-à-dire aussi près que possible de ses origines explicites. J'ai parlé, on l'a déjà compris, des pré-socratiques en général et, pourquoi pas, de Parménide en particulier [11].

Conscience du monde et conscience de soi

A vrai dire l'enfant n'est pas si étranger que l'on pourrait le croire à cette expérience première de l'humanité qu'on cherche ici à évoquer. L'une des toutes premières manifestations de la conscience humaine chez le petit enfant est, avec le sourire, de l'ordre de *la relation à autrui,* qui ne saurait s'isoler de *la découverte du monde.* A suivre le regard et les mimiques d'un enfant dès son premier éveil, le signe de l'esprit, qui s'ignore pourtant complètement lui-même, est là dans cet acquiescement et dans ce « oui »

---

11. Cf. Henry MALDINEY, « Parole et discours », in *Exister,* Cahiers du Centre kierkegaardien de Lyon, 7 (1977), p. 27-40.

accordés à ce qui lui paraît, tout d'un coup, *exister,* sa
mère, un rayon de lumière, un hochet pendu sur son
berceau. Sans doute, on doit attendre un certain développement de la motricité pour que le geste de *désigner* ait
toute sa rigueur et réponde pleinement au *bonheur,* pour
ne pas dire au *ravissement,* d'ailleurs partagé avec ceux
qui l'entourent, de découvrir « le jour », une lampe, des
fleurs, un ballon de couleur, une porte qui s'ouvre ou se
ferme, surtout si un visage aimé est là qui, tour à tour,
se penche et se dérobe. Certes, les répulsions peuvent
exister aussi; elles portent d'ordinaire sur ce qui du réel
est trop « fort » pour l'enfant. Est trop « fort » pour lui
tout ce qui lui apparaît sans cette garantie affective des
siens qui rend possible sa progressive initiation au réel, à
son réel à lui. Mais ces résistances ou ces peurs ne sont
que l'envers d'une démarche entièrement positive, où la
conscience s'affirme en recevant *tout ce qui n'est pas soi*
et qui, loin de détruire l'enfant, l'enchante et le fait
avancer.

Ce paradoxe de l'esprit qui apparaît ainsi de manière
implicite chez l'enfant et qui peut suggérer quelque chose
des tout premiers éveils de notre humanité, un Parménide
(450 av. J.C.) l'a traduit de *façon réfléchie.* Dans le
Fragment 6, il exprime ainsi la certitude de l'esprit qui
s'ouvre sur le monde : « Il y a qu'il y a, nous dit-il, et
rien, il n'y a pas [12]. » Deux choses qui n'en font qu'une
apparaissent ici : d'une part, une affirmation redoublée
d'existence : « il y a qu'il y a », c'est-à-dire : « ce qui est
sûr, c'est qu'il existe quelque chose ». Apparaît, d'autre
part, la négation formelle du contraire : « ce n'est pas *le*

12. Selon la traduction de Maldiney qui a le mérite de faire valoir le contenu
d'une tautologie qui permet d'affirmer dans l'*être* le fait qu'il *est.* Le vide apparent
d'une telle formule est en réalité le plein de la découverte admirative sur l'*irré-
futabilité* du fait qu'existe quelque chose et de la conscience que l'homme en
prend. Beaufret, dans son *Parménide,* Poème VI, PUF, 1984, p. 81 traduit :
« Nécessaire est ceci : dire et penser de l'étant l'être; il est en effet être, le néant
au contraire n'est pas : voilà ce que je t'enjoins de considérer. » Maritain dit que
« ce que je perçois » est ce « par quoi les choses me jaillissent contre et surmontent
un désastre possible », *Sept leçons sur l'être, Œuvres,* DDB, p. 747. Levinas parle
quant à lui de « l'étonnement primordial du " il y a " », *De l'existence à l'existant,*
Fontaines, 1947, p. 25-28. Bachelard parlait, lui « de la stupeur du " il y a " », dans
Jean LESCURE, *Un été avec Bachelard,* Luneau Ascot, 1983, p. 237. La convergence
des points de vue que l'on pourrait poursuivre est impressionnante et désigne bien
une expérience élémentaire.

rien qui existe, mais bien ce qui mérite d'être appelé de *l'être; le rien* ne rend pas compte du fait *d'exister* ».

Parménide condense ainsi sur le registre philosophique, une expérience toute première, normalement inexprimée parce qu'elle est d'abord inexprimable en sa richesse et sa simplicité. Cette expérience consiste à se trouver devant *l'existant irréfutable* et à *s'éveiller* de la sorte à *soi-même,* en adhérant sans réserve à *ce qui n'est pas soi* mais qui est là *pour soi, irrécusablement.* De ce fait, la célèbre question de Heidegger, si profonde pourtant : « Pourquoi y a-t-il quelque chose et non pas rien [13] ? » exprime peut-être moins bien que la formule lapidaire de Parménide le contenu mental le plus radical qui soit. En effet, pour poser une question qui porte sur ce qui est, il faut que la valeur souveraine de *l'être* soit déjà apparue au regard de l'esprit. Comme l'a bien vu Platon, à l'origine de toute réflexion, implicite ou formelle, l'*étonnement* précède la *question;* l'étonnement devant le « *il y a* » précède donc vraiment la question sur le « *pourquoi y a-t-il du : il y a* » et non pas que du « *rien* » ? La « décision », comme dit Parménide, c'est-à-dire le point vraiment inaugural, conscient ou inconscient, de l'émergence de l'esprit serait donc bien ici, comme le dit encore Parménide : « Il y a *ou* il n'y a pas! » Ce serait donc aussi par ce « oui » inaugural au « il y a » du monde, que l'esprit humain, en s'ouvrant au réel, s'ouvrirait à lui-même sans le « savoir » encore; il se déciderait ainsi, sans le « savoir » davantage, à exister vraiment, en tant que *différent du monde* et cependant *lié à lui* [14]; lié aussi à tous les autres qui, dans ce monde, le confirment en son identité typiquement humaine et qui le font par leur présence et par leur voix, leurs soins et leur amour, par leur rivalité aussi ou du moins leurs inévitables conflits.

Si l'on demande ce qui justifie une pareille affirmation, il faut donner sans hésiter le repère de l'outil.

---

13. Heidegger, *Qu'est-ce la métaphysique ?* Paris, Gallimard, p. 44.
14. Comme nous venons de le voir, p. 106-107.

Différence subjective de l'homme et existence objective de l'outil

Immergé dans le monde, l'homme en *émerge* aussi puisqu'il *fabrique un instrument d'une portée virtuellement universelle.* Sans sortir de ce monde, l'homme se donne le moyen d'assurer sa domination sur *tout* ce qui, vivant ou inerte, pourrait, dans le monde, le remettre en question ou gêner sa présence. En ce sens, l'outil est une *arme* qui seconde dans l'homme son vouloir-vivre humain; celui-ci à son tour n'est plus *limité* comme chez l'animal par ce qui le seconde, bec ou ongle, mais il demeure *ouvert*, comme la main, en *toute* direction. Cette universalité potentielle, nous l'avons vu, est *unique* en son genre parmi tous les vivants; elle signifie à sa manière la singularité absolue de l'*homme* et de l'esprit; elle implique donc aussi la liberté. La conscience de soi, *implicite* il est vrai, n'est pas une hypothèse plus ou moins arbitraire et qui serait invérifiable; elle est la condition *sine qua non* pour que l'outil, tel qu'on le connaît dans l'*universalité virtuelle de sa forme*, puisse *réellement* exister. Pour qu'un pareil outil surgisse dans l'objectivité du monde, il faut qu'existe un être à qui la *conscience, implicite mais réelle qu'il possède de soi, impose la création d'un moyen tout nouveau d'assurer une émergence, toute nouvelle aussi, même dans ses débuts.*

Il n'existe pas seulement, comme nous l'avons dit plus haut, un accord *de fait* entre l'*universalité* de l'outil dans sa *forme*, celle de la main de l'homme en sa *structure* et celle de l'esprit dans sa *définition* (que nous a léguée Aristote), il existe entre l'outil, la main et l'esprit (pour ne rien dire ici du cerveau qui conditionne l'expression de l'esprit) un accord *de droit*. S'il existe un être qui, de manière encore élémentaire, *sait* que le monde *est là*, comme *quelque chose* qui s'impose et qu'il peut *désigner* serait-ce seulement comme un « ça », c'est que *lui-même* existe comme une *différence irréductible* par rapport à ce « *ça* »; il se « sait » *autre* que ce qu'il voit exister, personne à l'égard des *choses, lui* devant ce qui n'étant pas « lui » représente le *monde, sujet* en face de ce qui n'est dès lors qu'*objet*. Rien de ce que j'essaye d'exprimer ne passe nécessairement à l'état explicite. C'est existentiellement, sans réflexion et de manière purement thématique, que tout ceci arrive; mais avec ce type de conscience de soi, même *longuement* et même *lourdement* implicite, l'esprit a surgi dans le monde. Loin de le refuser comme lieu de sa naissance, il y *consent* comme à quelque chose qui est tout ensemble *autre* et *sien;* il va donc tout faire pour s'y bien adapter. Aussi, sans trop tarder peut-être, y réussira-t-il de manière admirable, en trouvant le moyen de *fabriquer l'outil.* L'outil va lui permettre, sans renier ce monde, d'y affirmer sa très précieuse *différence* dans tout cas de figure prévisible où il la sentirait menacée. L'*universalité* potentielle de l'outil qu'un tel être se donne découle donc directement de l'identité qu'il entend *toujours* et *partout* conserver dans un monde dont il ne peut ni ne veut s'abstraire ou se voir aliéner. L'outil ainsi compris est une *pratique élémentaire* de la conscience humaine en son état naissant; il représente la *forme objectivée d'une liberté* inchoative mais réelle, en vertu de laquelle l'homme doit s'*affirmer* et *se garder* comme tout différent du reste entier du monde.

De nouveau, face à l'importance hors pair que représente l'outillage de pierre, il faut rappeler que celui-ci n'est pas nécessairement le seul et le premier signe qui ait existé de l'émergence humaine. Comme il y a dans la préhistoire un *aval* de l'outil, qui est parure, œuvre d'art et objet religieux, on peut présumer qu'*en amont* de l'outil découvert, ou *à côté de lui,* toute une activité humaine s'est *aussi* déployée sans avoir pu laisser de traces. Si l'on s'aventure en un tel domaine, celui du non-fossilisable, on abandonne évidemment les appuis proprement *scientifiques,* sans entrer pour autant dans le pur arbitraire, comme nous allons essayer de le voir maintenant.

LA PLACE DU NON-FOSSILISABLE
DANS L'ÉMERGENCE HUMAINE

Leroi-Gourhan a montré que l'existence de l'outil ne doit pas être analysée comme un phénomène isolé. Dans son usage, mais aussi dans sa fabrication, l'outil implique une socialité [15]. Compris comme outillage qui dure et se déploie, même modestement, l'outil suppose un groupe au sein duquel il est transmis après y avoir été inventé et reçu. En effet, si nécessaire qu'il soit à tous, l'outil reste en lui-même une réussite d'individus précis : il n'est pas un produit générique nécessairement accessible à chacun dans sa fabrication. Tandis que *tout* oiseau est oiseau, en sachant faire son nid ou, comme les coucous, en sachant utiliser le nid des autres, on peut se dire un homme sans pour cela savoir ni pouvoir tailler un chopper, ni même savoir s'en servir, quelle que soit, nous dit-on, la banalité technique des gestes nécessaires à sa fabrication. Signe certain, mais non pas nécessaire pourtant en chacun, de notre humanité, l'outil entre donc dans les attributions spécifiques de l'homme sans définir, *à lui tout seul*, l'identité humaine de chaque individu. Si importante soit-elle, l'activité industrielle (industrieuse aussi) que révèle l'outil fait nombre avec d'autres activités également humaines dont la trace n'a pas cette objectivité.

Dans le domaine du *non-fossilisable* qui n'est donc pas, en préhistoire, celui de l'irréel, doit trouver sa place tout l'ordre de l'affectivité et du langage. Domaine difficile entre tous, quand il s'agit des origines mais dans lequel il faut oser s'aventurer. Le point scientifiquement sûr ou tout au moins probable est d'abord le rapport de l'outil au langage dont je viens de parler, c'est aussi la structure vraisemblable des premiers groupes humains. Leroi-Gourhan, ici encore, est un maître. Refusant comme une imagination scientifiquement aberrante, le mythe de la horde primitive, accrédité par Freud pour « fonder » la culpabilité humaine au niveau de l'histoire, l'auteur de *Le Geste et la Parole* propose au contraire de voir les rares individus des origines, groupés en petites unités de subsistance vivrière [16]. C'est sur ce fond de représentation primordiale que les réflexions qui vont suivre prétendent s'appuyer, à leurs risques et périls mais non sans profit, je l'espère, pour décrire, dans l'*aura* de l'outil,

15. André Leroi-Gourhan, « Technique et société chez l'animal et chez l'homme », in *Le Fil du temps*, Paris, Fayard, 1983, p. 110-123.
16. Leroi-Gourhan, *Le Geste et la Parole*, Paris, Albin-Michel, p. 216-218.

des traits de l'émergence humaine qui pourtant ne s'y réduisent pas.

Émergence humaine et affectivité

Supposer qu'une certaine forme de langage conditionne l'usage et la transmission de l'outil, c'est s'interdire de croire que l'outil serait l'unique contenu de langage. Sinon, il faudrait poser, en principe, que le rapport au monde, impliqué par l'outil, épuise *à lui tout seul* la signification de l'émergence humaine. Au contraire, si l'outil, l'outillage ou l'industrie lithique, même à l'état naissant, implique *un rapport expressif à autrui* qui est de l'ordre du langage, ce type de rapport nous permet d'accéder sous un angle nouveau à l'identité de ceux et celles qui en bénéficient. L'expérience de l'enfant en bas âge peut servir encore de « modèle » au sens scientifique du mot : modèle *donné et non construit* sans doute, mais justifié en son caractère *naturel*.

Chez l'enfant en effet, *le rapport à ce monde*, lorsque l'esprit *s'éveille*, n'est pas réellement séparé ni même séparable sans dommage du *rapport à autrui;* il est même possible que le premier rapport de connaissance, fœtal encore, ait la mère pour objet. En tout cas la plus élémentaire observation des « praxies » d'un enfant, explorant le petit monde qui l'entoure avant même qu'il puisse y marcher, révèle qu'il ne « fait » rien, ne « tente » rien d'important à ses yeux, sans une sorte d'approbation qu'il désire recevoir par regard ou sourire de qui est alors avec lui. Qu'est-ce à dire sinon que sa découverte commençante du monde ne « va » pas sans l'appui d'un rapport permanent à autrui; il trouve en celui-ci, semble-t-il, le courage qui lui est nécessaire pour affronter l'inconnu, encore limité mais réel, qui surgit dans son monde. Il naît à l'*objectivité* des choses grâce à l'*amour* de ceux et celles qui l'entourent. En d'autres termes l'*intellectualité* naissante de l'enfant, qui le rapporte au monde, n'est pas réellement séparable de l'*affectivité* qui le rapporte aux autres et commande tout son développement. Piaget qui a trop négligé ce rôle essentiel de l'affectivité sur le développement de l'enfant est à critiquer sur ce point [17].

A défaut de travaux plus poussés sur l'enfant, mais en vertu d'une analogie qui n'est sûrement pas négligeable avec les origines de l'homme, ne peut-on suggérer que l'exercice de l'intellectualité, engagée dans la création et dans l'usage de l'outil, implique avec le concours d'un langage initial celui d'une affectivité grâce à laquelle les êtres humains se reconnaissent entre eux? Bien plus, *jamais* peut-être les hommes n'auraient couru leur chance, plus risquée que celle de tout autre vivant, puisque l'individu humain est au départ tout à fait démuni, si la reconnaissance subjective par l'autre ne leur avait donné le courage et le goût d'« aller » de l'avant. Le rôle de l'instinct de conservation et d'un accord vital et quasi immédiat avec le milieu a été important; mais peut-on omettre de dire que c'est aussi à partir d'une affectivité, arrachée à la peur ou au doute par le regard de l'autre, que l'humanité primordiale aura pu se « lancer » dans un monde qui lui demeurait étranger? Les ressources propres à l'intelligence et même l'agressivité spontanée auraient-elles suffi au « lancement » de l'homme, sans le stimulant que l'être humain reçoit d'un rapport à autrui favorable et qui le dynamise? Qu'il en soit bien ainsi dès l'origine, et nous voici devant une lumière nouvelle concernant la manifestation fondatrice de l'homme.

Émergence humaine et « lutte à mort » ?

Pour Hegel, on le sait, la connaissance de soi-même passe par la rivalité primitive et même par le combat à mort avec l'autre : je me devrais d'éliminer cet autre qui, pour se découvrir lui-même, cherche à me ramener au rang infra-conscient des choses ou des simples vivants; ainsi le voudrait la fameuse dialectique du maître et de l'esclave. Sous la lumière, hésitante sans doute et pourtant

17. J'ai essayé pour ma part de faire valoir cette critique avec ses répercussions spirituelles sur la compréhension de la croissance de l'enfant (et donc aussi de l'humanité elle-même) dans « Amour et famille » 137 (1983), *Revue du C.L.E.R.* (69, bd de Clichy, Paris 9ᵉ) sous le titre de « La Personne humaine et l'enfant », p. 18-30.

suggestive, que jette la préhistoire sur nos origines lointaines, est-ce bien le *combat* et non plutôt l'*amour* qui
éclaire vraiment l'émergence de l'homme? Sans doute,
Hegel l'a bien vu, l'esprit ne peut-il *se découvrir lui-même*
sans un certain arrachement au biologique qui l'enserre;
c'est donc bien en mettant sa propre vie en jeu pour des
raisons qui dépassent l'ordre strictement biologique que
l'être humain acquiert la certitude d'être tout autre chose
qu'un *animal seulement;* celui-ci, d'ordinaire, ne met rien
au-dessus de sa vie, même si on lui attribue comme aux
chimpanzés notamment, des comportements sexuels qui
supposent une affectivité élémentaire. On est encore loin
cependant de ce risque total de soi, qui fait qu'un être
humain préfère sa *valeur* à sa *vie*. Mais ce risque qui
fait qu'on peut sacrifier sa vie pour demeurer soi-même,
pourquoi serait-il *seulement contre* l'autre et pas aussi ou
pas d'abord *pour* lui?

Ce va-tout merveilleux qui définit l'esprit serait-il moins
révélateur de l'humain et moins humanisant s'il est accompli *seulement* ou *d'abord* pour aimer et non pas pour haïr?
Pourquoi, comment la rivalité mortelle avec l'autre aurait-
elle été plus essentielle à l'émergence humaine que le
pouvoir de se risquer pour l'autre au mépris de soi-même,
selon que l'existence originelle devait en fournir des
milliers d'occasions? La protestation d'Antigone d'*être née*
pour aimer et non pour haïr sera-t-elle un jour entendue
par l'anthropologie des origines ou faudra-t-il toujours
penser que la meilleure manière de définir l'esprit en son
état naissant consiste à voir en lui une forme, déjà
sourdement dominante, de masculinité? En un mot,
l'amour dont la femme est capable pour mettre au monde
des enfants serait-il moins humanisant au départ que le
combat des hommes entre eux où Hegel voudrait trouver
le berceau de la conscience humaine? Sans aucun doute,
à l'origine, y eut-il combat, et quel combat! mais contre
la nature. La lutte à mort contre l'autre homme, que
Hegel veut mettre au principe dialectique de l'éveil de
soi, eût supprimé l'humanité, trop peu nombreuse en ses
débuts pour se déchirer impunément soi-même. Ce dont
Hegel parle se rapporte plutôt à la conscience *politique*,
sous une forme encore *sauvage*, où l'homme croit devoir
s'accomplir par la domination et prévaloir sur l'autre à

tout prix, au lieu de le servir. Mais là n'est pas la manifestation réellement *fondatrice* de l'homme et la révélation primordiale de l'esprit. Seul de son genre dans toute la nature, sur-exposé à tous les dangers que lui faisait courir son état désarmé, l'individu humain n'eut pas *nécessairement* à passer, au début, par la suppression virtuelle de l'autre. La reconnaissance intuitive qu'il en désire et en reçoit – nous allons revenir sur ce point – celle qu'il lui donne aussi paraît avoir été autrement décisive pour l'éveil réel de son humanité.

Émergence humaine et sexualité

Déjà le Père Fessard a montré qu'il ne fallait pas séparer la dialectique hégélienne du maître et de l'esclave de la dialectique, plus biblique, de l'homme et de la femme [18]. En demeurant fidèle à ce que nous suggère la préhistoire, ne faut-il pas voir dans le rapport de l'homme et de la femme une des conditions essentielles de l'émergence humaine au cœur de la nature ?

La *mutation* qualitative, grâce à laquelle l'apparition de l'homme se réalise ou tout au moins devient possible, fait surgir dans le monde – sous la forme d'un couple ou d'individus plus nombreux des deux sexes d'où sortira un couple, peu nous importe ici – des êtres *réellement différents en leur fond potentiel* de tous ceux parmi lesquels ils viennent d'apparaître. Mêlés, perdus, peut-être submergés parmi les vivants qui occupent le monde, comment peuvent-ils *se distinguer* vraiment de ceux dont ils diffèrent de manière radicale quoique encore cachée ? A moins de les réduire au pur biologique ou au seul psychisme animal, si élevé qu'il soit, il faut bien accepter que ces premiers êtres humains, qui sont, en profondeur, des « mutants » absolus, peuvent *se reconnaître entre eux selon leur nouveauté naissante*. Or leur nouveauté n'est autre que la conscience de soi, si primitive et implicite qu'on la suppose encore, faute de quoi *rien* n'est changé au monde avec la naissance des hommes ! C'est pourquoi la découverte qu'ils font nécessairement les uns des autres, au nom de leur origi-

18. Gaston FESSARD, « Dialectique de la société », in *Recherches de science religieuse*, 31-33, 1948, p. 166-182.

nalité foncière et des affinités secrètes qu'elle provoque entre eux, a sûrement lieu *sans tarder*, puisque l'humanité n'a pas disparu ou sombré.

Or, cette lumière sur soi, inséparable de la découverte de l'autre et qui a commandé le départ de l'humain, n'est pas de nature *dialectique*. Que doit-elle au combat? De quel effort peut-elle résulter? Elle représente plutôt une *intuition première* aussi purement fondatrice que l'est pour le petit enfant celle de *se sentir vu* dans son berceau et qui provoque sans doute le premier sourire. A cette reconnaissance interhumaine rudimentaire, où le sujet a commencé d'éclore à la conscience de soi, la sexualité n'a-t-elle pas apporté, comme elle peut le faire de nos jours, un *confirmatur* important? Même si elle peut être aussi source de combat et de rivalité parfois mortelle, sa signification première est d'*unir* indissolublement dans la *reconnaissance* réciproque de soi-même et de l'autre et d'assurer la *vie* à un autre de soi, qui vient des deux *unis*. Certes, l'instinct proprement dit a dû jouer un rôle puissant et décisif, mais si l'esprit avait vraiment surgi, comment l'instinct le plus lié à la nécessité de l'autre, n'aurait-il pas été, lui aussi, traversé par les premières lueurs, encore fragiles mais réelles, d'un amour humain commençant? Ainsi naissait le *couple;* par lui aussi pouvait apparaître l'*enfant*, en qui prenait corps et visage, pour les premiers humains, l'espérance de pouvoir durer...

On rejoint ainsi tout naturellement les premières pages de la *Genèse*, pour qui l'humanité demeure inachevée tant que le couple n'est pas formé. Elle voit, nous le savons [19], dans l'amour de l'homme et de la femme un trait privilégié de la divine ressemblance qui transparaît aussi dans la mission de s'engendrer soi-même, une fois qu'on est là. Quoi qu'il en soit de ce point de contact avec la *Genèse*, qui n'est pas fait pour nous surprendre, il reste à aborder un autre problème relatif aux éléments non fossilisables de l'émergence humaine et qui concerne l'origine du langage. Mais avant de le faire, je voudrais dire un mot d'un autre point, plus délicat encore et non moins important.

On dit couramment que le *sentiment religieux* n'apparaît

_____

19. Plus haut, p. 18, 32.

dans l'histoire qu'avec la sépulture, elle-même tardive. Mais dans ce cas aussi, le *pour nous* est-il déterminant de l'*en soi*? En l'absence de *tout* signe qui permette d'en parler scientifiquement, la vraisemblance d'un tel sentiment n'est pas nulle. Elle se fait jour dès que l'on analyse l'acte de conscience élémentaire devant l'existence du monde. Quelle distance infranchissable trouve-t-on entre l'étonnement « parménidien » du « il y a » et le sentiment du « sacré », qui fait le fond de toute religion « naturelle » dans l'homme? Surtout si l'on n'oublie pas que toute expérience *objective* du monde n'est guère séparable, au début, d'une expérience *affective* de l'autre. Or l'expérience originaire du « monde » est-elle tellement étrangère au pressentiment d'un *Autre*, dont le « monde » semble se présenter alors comme l'œuvre, la trace ou un premier symbole?

Émergence humaine et origine du langage

Non moins délicate, non moins conjecturale aussi du *point de vue scientifique*, est la question du langage dans l'émergence humaine. D'une part les linguistes refusent d'ordinaire de traiter l'*origine du langage* en raison de la complexité *diachronique* du problème mais, d'autre part, il est impossible d'éluder la question. Les difficultés d'origine, apparemment insurmontables, conseillent aux linguistes de s'en tenir aux questions *synchroniques* de *structure*, c'est normal. Les résultats obtenus depuis Ferdinand de Saussure, donnent amplement raison à ce choix de *méthode*. Toutefois, il ne doit pas devenir une option de *principe*. Or c'est ce qui arrive dans le *structuralisme*.

Lévi-Strauss pose comme un absolu que le *sens*, inséparable du langage qui l'exprime et dans lequel il s'incorpore, serait apparu *tout d'un coup*, sans qu'aucune genèse ni *généalogie* du sens ou du langage soit possible ou pensable [20]. Ne sommes-nous pas devant un axiome d'autant plus discutable que l'on accepte partout ailleurs le point de vue *évolutif*? Si tout, dans l'ordre de la vie et dans celui de la culture, apparaît par voie de devenir

20. *Anthropologie structurale*, Paris, Plon, 1958, p. 30, 95, 201-203, 226-231, 255.

progressif et dès lors de genèse, peut-on poser *a priori*
que l'élément le plus fondateur de la culture et de l'histoire,
à savoir la parole ou plutôt le langage, échapperait
entièrement à cette loi? L'idée paraît d'autant moins
vraisemblable que la durée préhistorique est immense et
qu'elle se double d'une stagnation industrielle impressionnante au cours des millénaires et millénaires du paléolithique inférieur. Que s'est-il donc passé du point de vue
de la *culture*, durant ces temps d'une extension quasi
vertigineuse? La préhistoire nous le précisera sans doute,
à moins qu'en nous forçant à reculer de plus en plus la
date d'apparition de l'homme, elle n'agrandisse encore le
temps où, du point de vue de la culture, il ne s'est pas
passé grand-chose. D'ores et déjà se pose un immense
problème sur le *sens* à donner à cette interminable
préhistoire de l'homme, problème bien plus théologique,
à vrai dire, que proprement philosophique. Mais on ne
saurait augmenter gratuitement l'énigme en refusant *a
priori* à l'humanité primitive l'honneur et le génie d'avoir
inventé *peu à peu* le langage [21].

Contrairement en effet à ce que l'on penserait spontanément, les langues « primitives » ne sont pas les plus
simples. Pour « gratuites » qu'elles soient peut-être en leur
complexité, les langues, primitives ou non, demeurent un
instrument dont le sens est fonction de la conscience de
soi et de son émergence. En effet, les nécessités primor-
diales de l'être humain ne sauraient se réduire au seul
domaine de ses rapports avec le monde. Sans doute, doit-
il assurer tout d'abord sa subsistance matérielle : le *primum
vivere* pour le présent et l'avenir. C'est pourquoi l'homme
n'a pas dû tarder beaucoup à découvrir l'outil; il s'assurait
ainsi, par voie de *fabrication*, ce qu'il ne trouvait pas en
lui par voie d'*instinct* et de *montages organiques*.

Vitale entre toutes, la découverte de l'outil était loin,
cependant, de répondre à toutes les urgences. La conscience de soi étant essentielle à tout individu humain,
l'intersubjectivité est pour lui la condition et plus encore
le soutien de sa propre existence; le besoin, le désir, et
bien plus, le pouvoir d'*entrer en communication explicite*

---

21. Claude HAGÈGE, *L'Homme de paroles. Contribution linguistique aux sciences
humaines*, Fayard, 1985, 14-27, ne craint pas d'aborder ce problème en linguiste.

avec l'autre sont donc aussi constitutifs, dès le départ de la vie de l'homme, comme ils le sont pour tout enfant... Si chacun doit *se dire au niveau le plus vital de soi-même,* rien ne paraît plus nécessaire à cette *diction de soi,* que *l'instrumentalisation du corps par l'esprit* au niveau du langage et donc de la voix.

En effet *le pouvoir de parler* où l'être humain engage toute son émergence n'est pas d'abord *exosomatique* comme l'est l'outil ou l'outillage; relevant de l'expression *de* soi *par* soi, le langage concerne dans *le corps* ce qui en *émane* de manière *immédiate,* à savoir le *souffle* qu'utilise la *voix.* Pour ne rien dire ici des gestes et du rythme eux aussi immanents à l'esprit par le corps [22] qui constituent en eux-mêmes un véritable langage, celui des sourds-muets par exemple, la parole est aussi *intérieure* au *corps* humain que l'aile ou le bec l'est au *corps* d'un oiseau. Pourtant, tandis que l'aile ou le bec *détermine* l'oiseau à titre instrumental, le geste ou la parole au contraire, tout intérieur au corps humain que soit un tel outil, *libère* les humains en leur permettant de *se dire eux-mêmes* et de *dire le monde,* et non pas seulement d'en *user.* Ils font partie de *l'ordre symbolique* essentiel à l'esprit et ils échappent ainsi à l'ordre purement *fonctionnel* dont l'animal demeure toujours prisonnier [23]. Une telle entrée dans l'ordre symbolique révèle la profondeur propre à chaque être humain mais elle indique au surplus des développements dont l'ampleur peut envahir l'histoire. Ces deux aspects sont d'ailleurs liés.

De même, en effet, que le rapport au monde n'est pas le tout de l'homme et qu'il est intérieur à ce rapport à l'autre qui définit *l'affectivité* au grand sens du mot, de même la création instrumentale dont l'être humain est l'artisan ne peut pas se réduire aux seuls outils qui lui assurent une maîtrise élémentaire sur le monde; elle porte aussi sur le domaine irremplaçable de la communication intersubjective et sociale, que permet le *langage.* Mais puisque, dans l'ordre de l'instrumentation humaine, rien ne s'est fait en un seul jour, pourquoi, dans ce domaine infiniment plus subtil et profond, qui met en jeu non pas

22. Marcel JOUSSE, *L'Anthropologie du geste,* Paris, Gallimard, 1974.
23. Faute que l'animal ait l'idée d'objet, comme le montre très clairement Yveline LEROY dans l'article cité ici, p. 102.

des *choses* seulement mais le *sujet humain lui-même dans son corps et sa voix afin de s'exprimer,* pourquoi serait-il allé *plus rapidement* et parti de *moins bas?* Or en fait, il est parti, ici encore, de rien ou, si l'on veut, de presque rien, lui qui, entendant cependant rugir les fauves et chanter les oiseaux, pouvait sentir aussi le besoin de se traduire lui-même et de le faire pour ses semblables. C'est pourquoi l'idée d'une *acquisition progressive* du langage, encore qu'elle ne puisse laisser aucune trace fossilisable et qu'elle ne puisse donc pas être *scientifiquement* prouvée, ne peut pas être non plus sérieusement réfutée; tout au contraire elle devient *anthropologiquement* vraisemblable quand on l'aborde comme je viens d'essayer de le faire.

Au surplus, cette longue, pénible, mais merveilleuse acquisition, dont les enfants nous donnent un « modèle », incomplet puisqu'ils ont devant eux des adultes qui « savent » déjà parler, a un autre avantage. Elle nous permet de combler en partie le vide impressionnant qui envahit la préhistoire lorsque l'on réduit l'effort culturel de l'homme primitif à l'outillage seulement. Oubliant que d'apprendre à parler a pu requérir d'êtres humains relativement isolés nombre de millénaires, on vide ces millénaires de tout contenu créateur, si l'on n'y place pas la progressive acquisition des gestes signifiants, de la parole aussi et finalement des langages eux-mêmes.

Tout ceci n'est qu'une conjecture, mais qui s'impose dans le contexte que je viens d'évoquer; elle ne saurait pourtant suffire à lever cette sorte d'angoisse où nous jettent parfois les âges préhistoriques humainement énormes. D'ailleurs le but d'une réflexion qui s'est voulue philosophique n'est pas avant tout de résoudre tous les types de problèmes qu'elle pose mais de les bien poser.

Troisième partie

CHRISTOLOGIE

Plus d'une fois, au cours des deux premières parties de ce livre, des points de vue christologiques se sont fait jour. Il le fallait pour que la réflexion sur le péché originel puisse réellement progresser. Cependant la faute originelle, on l'a déjà montré, est un point de départ trop étroit pour qu'à partir de lui on puisse présenter tout l'ensemble du mystère du Christ. Qui peut le faire d'ailleurs de manière exhaustive ? Néanmoins quelque chose doit être dit ici sur le rapport du Christ avec l'Homme comme tel et avec la création tout entière. Cette vision, encore inhabituelle à plus d'un, qui enveloppe le péché, alors que d'ordinaire c'est le péché qui introduit à la vision du Christ, est si importante qu'il vaut la peine de la présenter avec une certaine ampleur. C'est ce que nous faisons dans le chapitre 4. Par ailleurs, devant une telle perspective, on fait souvent valoir la crainte qu'elle masque le mystère du péché et de la rédemption. Eu égard à l'importance de ces deux réalités de la foi, cette crainte n'est pas vaine : rien ne doit être sacrifié du donné révélé. Le chapitre 5 voudrait montrer que cette crainte n'est pourtant pas justifiée. On peut tenir en même temps et la primauté radicale du Christ sur toute créature et le caractère éternellement prévu de notre rédemption. Il suffit pour cela de ne sacrifier au départ aucune des affirmations de l'Écriture et de trouver le point de vue où elles s'harmonisent en nous enrichissant.

4

« Le Premier-né
de toute créature »

INTRODUCTION

Aurait-on passé d'un extrême à l'autre ? Après avoir
privilégié une réflexion spéculative qui relevait surtout de
la philosophie [1], négligerait-on désormais, au nom de
l'histoire du salut, ce qu'il y a de divinement abrupt dans
le mystère de notre création [2] ? Si concret qu'il soit puisqu'il
nous donne d'exister, l'acte créateur plonge en effet dans
les profondeurs mêmes de Dieu. Celles-ci doivent nous
rendre modestes comme elles l'ont fait pour Job (42,16)
mais non pas timorés. En ce domaine, l'Écriture nous
invite au courage et même le Nouveau Testament à
l'audace : à travers le mystère du Christ il nous demande
de rejoindre les sources ultimes de notre être. Mais cette
hardiesse semble ne plus tenter l'ensemble des théologiens.
Les rigueurs de la métaphysique, qui a longtemps paru la
seule habilitée à parler dignement de l'acte créateur,
ont-elles découragé les esprits, en les enfermant à leur
insu dans un dilemme ? Ou parler de la création selon
les exigences abstraites de la métaphysique et vouer sa
foi au silence, puisque le Créateur, philosophiquement
considéré, ne fonde aucun rapport réel de lui à nous ;

---

1. Étienne GILSON, *Le Thomisme, Introduction à la philosophie de saint
Thomas,* Vrin, 1942, p. 171-220 ; ID., *Introduction à la philosophie chrétienne,*
Paris, Vrin, 1960, p. 27-44.
2. L'ouvrage collectif *Mysterium salutis,* sous-titré *Dogmatique de l'histoire du
salut,* qui comporte 15 volumes dans sa traduction française, y consacre deux
cents pages seulement dans le tome 6, dont moins de cent à la réflexion
théologique proprement dite.

ou en parler dans le langage symbolique de l'Ancien Testament, mais perdre toute pertinence pour la science moderne. L'histoire culturelle de l'Occident expliquerait cet embarras.

La vision biblique d'une création encore palpitante sous le toucher de Dieu a été peu à peu remplacée en Occident par celle d'une nature dont se voit exclu le Créateur [3]. Les critiques de Marx sur l'idée même de création, le meurtre freudien du père et sous un tout autre rapport la nouvelle version astro-physique de la cosmogenèse, tout cela semble inhiber chez les théologiens le désir de parler de notre création et de celle du monde. Cependant, deux hommes d'un génie bien divers font ici exception. Dans sa monumentale *Dogmatique* Karl Barth s'est longuement arrêté sur la création, considérée à l'intérieur de l'Alliance. Même si Barth n'assure pas toujours à l'humain une consistance à laquelle sa doctrine du salut ne le prédispose pas, il marque pour la théologie du dessein créateur un point de non retour sans doute ineffaçable [4]. Quant à Teilhard, il n'a jamais cessé de présenter l'évolution, dont il parlait scientifiquement en connaisseur, comme la modalité de l'œuvre créatrice, réconciliant ainsi sur ce point la science et la foi [5]. Pourtant un autre aspect de sa pensée est encore trop peu remarqué. Sa doctrine de l'*Union créatrice* [6], en effet, qui tient une place considérable dans

3. *Deux mille ans d'Église en question*, Paris, Cerf, 1984, p. 149-156 ; voir aussi Pierre GISEL, *La création. Essai sur la liberté et la nécessité, l'histoire et la loi, l'homme, le mal et Dieu*, Genève, Labor et Fides, 1980 et, du même auteur « création et Eschatologie », in *Initiation à la pratique de la théologie*, t. III, Paris, Cerf, 1983, p. 613-722.

4. Dans la traduction française, Genève, Labor et Fides, les tomes I et II du 3e volume. Sur cette doctrine barthienne de la création, Henri BOUILLARD, *Karl Barth, Genèse et évolution de la théologie dialectique*, Paris, Aubier, 1957, t. II, p. 188-206.

5. Émile RIDEAU, *La Pensée du Père Teilhard de Chardin*, Paris, Seuil, 1965, p. 330-337. L'évolution est pour Teilhard la structure de la forme et le chemin que la création prend et revêt dans l'espace et le temps. Plus récemment : C. MONTENAT, L. PLATEAUX, P. ROUX, *Pour lire la Création dans l'évolution*, Paris, Cerf, 1984.

6. Cette idée est une des idées-mères de la réflexion de Teilhard dans les *Écrits du temps de la guerre* (1916-1919), Paris, Grasset, 1965, p. 169-199. On en voit la genèse dans l'ensemble de son *Journal 26 août 1915-4 janvier 1919*, Paris, Fayard, 1975. On la retrouve tout au long de son œuvre, *Mon univers de 1924*, Œuvres, t. IX, p. 65-114 ; ID., *La Route de l'ouest*, 1932, t. XI, p. 45-65 ; *La Centrologie, Essai d'une dialectique de l'union*, 1944, t. VII, p. 103-135 ; *Le Cœur de la matière*, 1950, t. XIII, p. 21-74. Sans oublier que *Le milieu divin*,

son œuvre, représente un effort original et profond pour repenser, d'une manière qui n'a rien de barthien, le rapport existant entre Alliance et création. Il définit donc le fait de créer comme un acte d'union présent en tout domaine et il découvre ainsi le mystère du Christ aux sources mêmes de l'acte créateur comme l'alpha et l'oméga de toute création.

Dans l'ensemble pourtant, la théologie du péché continue trop souvent de masquer l'importance du Christ dans le dessein créateur de Dieu, à moins que par réaction excessive le sens qu'on lui donne ne revête des allures de gnose et ne conduise à identifier la création de l'homme à la génération même du Fils [7]. Plus couramment on paraît oublier que si notre salut comporte dans le Christ un aspect rédempteur de ressaisissement et de réparation, c'est parce que Dieu nous livre de nouveau à Celui dans lequel nous sommes tous depuis toujours, par création divinisante, prédestinés. Dire que la rédemption est une modalité de l'incarnation, comme on le reconnaît plus volontiers de nos jours [8], exige donc qu'on dise clairement aussi que nous sommes reliés par Dieu au Christ, par voie de création et non pas seulement de péché [9].

1927, est pétri de cette intuition. G. MARTELET, *Teilhard et le mystère de Dieu*, Cahier n° 7 de la Fondation et Association Teilhard, Paris, Seuil, 1970, p. 77-102.

7. J'ai évoqué cette question dans *La Foi et la Gnose hier et aujourd'hui*, titre sous lequel ont paru les *Actes des journées irénéennes* des 9-10-11 mai 1984, « Les Cahiers de l'Institut catholique de Lyon » n° 15 (1985), p. 91-105. Pour ne rien dire des platitudes au terme desquelles l'homme est appelé créateur sans qu'on perçoive en quel sens analogique il l'est, surtout lorsqu'on lui confie le soin d'« achever » la création en omettant de relativiser l'activité humaine par rapport au travail primordial et toujours actuel de Dieu.

8. Récemment encore Bernard SESBOUÉ, *Jésus-Christ dans la Tradition de l'Église*, Paris, Desclée, 1982, p. 293-299, qui fait valoir au terme de son étude cette vérité élémentaire que « le médiateur de la rédemption est aussi le médiateur de la création ». Il faudrait dire plus encore que c'est le médiateur de la création qui est *aussi* celui de la rédemption, si l'on veut respecter l'ordre des intentions qui seul lève l'équivoque que fait peser sur la Révélation une théologie moins préoccupée par le mystère de la création que par celui du péché. C'est vrai que l'histoire est pécheresse, mais c'est aussi vrai que du sein du péché le dessein créateur n'est jamais aboli même s'il est par nous méconnu.

9. Sur ce point de vue chez Teilhard, voir surtout *Mon univers de 1924* et *Le Milieu divin*. Sur l'orthodoxie fondamentale de Teilhard sur ce point Henri de LUBAC, *La Pensée religieuse du Père Pierre Teilhard de Chardin*, Aubier, 1962, p. 281-297. Sur ses sources, Peter SCHELLENBAUM, *Le Christ dans l'énergétique teilhardienne*, Paris, Cerf, 1971, p. 91-133. Sur sa portée philoso-

Tel est précisément le message de l'Épître aux Colossiens qui appelle le Christ « le premier-né de toute créature » (1,15). Or, il arrive que cette affirmation, bien commentée en elle-même au titre scripturaire [10], demeure lettre morte dans l'élaboration spéculative qui normalement devrait s'en inspirer [11]. Pourtant, on ne saurait comme théologien de la création en rester au seul *ex nihilo,* si important qu'il soit [12], ni davantage au seul problème de la création éternelle ou non éternelle ou à l'affirmation incontestable de la liberté créatrice. Toutes ces questions sont importantes et toutes sont à traiter [13]. Mais elles demeurent préliminaires par rapport à ce témoignage scripturaire étonnant qui nous montre le Christ présent dans les assises éternelles de l'acte créateur. L'Alliance ne peut donc pas être seulement ramenée à « l'histoire du salut », étroitement comprise à partir du péché. Le « mystère tenu caché depuis toujours en Dieu, le Créateur de l'univers » (Ep 3,9) concerne aussi le « choix que Dieu a fait de nous avant la fondation du monde » pour que nous devenions pour

phique et sa place centrale dans l'œuvre de Teilhard, Madeleine BARTHÉLÉMY-MADAULE, *Bergson et Teilhard de Chardin,* Paris, Seuil, 1963, p. 598-618. G. MARTELET, *Le Christ Universel d'après les Écrits de la première période de l'Union créatrice,* Études teilhardiennes, 3, Bruxelles 1970, p. 51-62.

10. F. MUSSNER, « La Création dans le christ », in *Mysterium salutis,* n° 6, Seuil, 1971, p. 217-229.

11. Ainsi dans l'ouvrage précité note 10, W. KERN, *Réflexion théologique,* sur la création où il n'est pas question du Christ, p. 229-335. Ce qui n'est pas le cas général. Voir par exemple W. BEINERT, *Christus und der Kosmos. Perspektiven zu einer Theologie der Schöpfung,* Herder, 1974, p. 89-97, qui s'inspire de Karl RAHNER, et W. THÜSING dans *Christologie systematisch und exegetisch,* Herder, 1972, p. 64-66 et *Écrits théologiques* de K. RAHNER, Paris, DDB, 1959, I, p. 162-165. Il faut avouer quand même que ce point de vue n'est pas envisagé.

12. « Je t'en prie, mon enfant, conjure la mère des Macchabés, lève les yeux vers le ciel et la terre, vois tout ce qui s'y trouve et sache que Dieu n'a pas *fait cela de choses qui existaient,* et qu'il en va ainsi de la race des hommes » (7,28). L'affirmation de la création *ex nihilo* résulte de la *souveraineté absolue* de la Parole de Dieu mais elle n'éclaire pas directement l'intention créatrice.

13. Par les théologiens, cf. KERN note 11. Voir aussi d'un point de vue philosophique, A.D. SERTILLANGES, *L'Idée de création et ses retentissements philosophiques,* Aubier 1945 et les très nombreux ouvrages de Claude TRESMON-TANT sur le sujet dont je retiens : *La Métaphysique du christianisme* et *La Naissance de la philosophie chrétienne,* première partie : La *Création et l'Anthropologie chrétienne des origines à Augustin,* Seuil 1961, p. 89-214, ainsi que *L'Histoire de l'univers et le sens de la création,* O.E.I.L. 1985 où l'on voit pointer une réflexion sur la place du Christ, introduite seulement en cours d'histoire et non pas, hélas, comme sa « figure fondatrice », pour reprendre une expression citée par B. SESBOÜÉ, *op. cit.,* p. 293.

Lui « des fils adoptifs par Jésus-Christ » (Ep 1,4.5). Le salut
est donc relatif à un dessein de création divinisée en Jésus-
Christ. Ce dessein possède ainsi des dimensions indépendantes de celles que fait surgir à son tour le péché. C'est
à ces profondeurs que Paul fait allusion en déclarant aux
Corinthiens : « Il n'y a pour nous qu'un seul Dieu, le
Père, de qui tout vient et vers qui nous allons et un seul
Seigneur, Jésus-Christ, par qui tout existe et par qui nous
sommes » (1 Co 8,6) [14]. C'est dire que le Christ doit être
compris comme Celui sans lequel la création *elle-même*
n'est pas vraiment comprise; il est Celui qui éclaire d'un
jour nouveau le message de l'Écriture sur l'univers et sur
nous-mêmes comme créatures de Dieu. Nous devons
essayer de le voir.

LA CRÉATION À LA LUMIÈRE SYMBOLIQUE
DE LA RÉVÉLATION

Lorsqu'on affirme avec la *Genèse* que Dieu a créé le
ciel et la terre et donc tout l'univers, on signifie par là
que la nature, si elle relève des procédures de la science
et de la raison pour la connaissance que nous en acquérons,
se doit d'abord et toujours à l'Amour donateur de Dieu.
La Bible ne nous présente pas l'œuvre du Créateur selon
l'analogie des idées qu'un penseur aurait eues; Dieu dans
sa création est plutôt un artisan hyper-doué de la Parole.
Comme tout ici est image sauf le pouvoir créateur lui-
même, on peut aussi bien symboliser l'œuvre créatrice
avec « le geste auguste du semeur ». De fait la création
est élan, semailles, engendrement, ouverture d'ouvertures
nouvelles. Pour la Bible elle-même le geste créateur
implique un déploiement, modestement symbolisé dans le
semainier des six jours mais ouvrant aussitôt sur l'histoire
de l'homme. Le temps est donc signe de bénédiction : non

---

14. Commentaire dans le même sens dans MUSSNER, *op. cit.*, p. 217-
218.

un temps qui tourne en rond pour tenter d'imiter le divin, mais un temps dynamique qui permet au monde d'avancer et de prendre le large, à la vie d'apparaître, à l'homme de grandir. La création est un crédit absolu fait au monde par Dieu et donc à l'énergie ou la matière pour qu'elle compose un univers[15]; Dieu la soutient mais ne la supplante pas : il en est empêché par le respect de quelque manière infini, comme dit la *Sagesse,* qu'il porte à toute créature[16]. Nous le savons mieux désormais : la création qu'il a voulue, c'est tout à la fois l'indéfiniment grand et l'immensément petit, l'espace que la lumière parcourt à la vitesse des *parsecs*[17] et celui qui se miniaturise à l'aune des *quanta*[18]; c'est surtout ce que Teilhard a nommé le *troisième infini :* l'homme, l'«abîme de synthèse», seul infini véritable du monde[19]. L'homme est en effet ce point où, après trois ou quatre milliards d'années qu'a duré le travail inconscient de la vie, l'esprit a pu jaillir dans un acte irréversible de réflexion. Outre l'expansion de la matière dans l'indéfini galaxique et sa contraction nucléaire dans l'infiniment petit, la création comporte l'arborescence où se déploie la vie. Ayant pris la voie, toute nouvelle par rapport à l'ordre minéral, des synthèses organiques et de la différenciation cellulaire, la merveilleuse énergie dont Dieu dota le monde a dès lors risqué sa percée vers les structures vivantes, à la cime desquelles l'homme enfin apparaît.

Reposant sur les racines gigantesques de l'arbre de la vie, l'homme n'est pas seulement un produit de ce monde. Il est l'œuvre personnelle de Dieu. Pour le « faire » comme

---

15. Hubert REEVES, *Patience dans l'azur. L'évolution cosmique,* Seuil 1981.

16. « Dominant ta force, tu juges avec modération et tu nous gouvernes avec de grands ménagements » (12,18).

17. Le *parsec* représente 3, 36 années-lumière, soit 30 840 milliards de km.

18. Qu'on peut évaluer en archi-millardièmes d'erg.

19. *Place de l'homme dans l'univers* (1942) t. III, p. 312. Voir aussi t. VII, p. 35. Sur ce troisième infini, BARTHÉLÉMY-MADAULE, *op. cit.,* p. 77. Les deux autres « infinis » de grandeur et de petitesse relevant de la *quantité* sont plus des « indéfinis ». Seul l'homme relevant des profondeurs de la personne et de l'esprit a une infinité véritable de l'ordre de la *qualité.*

dit la *Genèse,* Dieu semble avoir repris son souffle afin de mieux pouvoir le lui donner; et lorsqu'il est enfin là, Dieu soupire encore, mais d'aise cette fois, et le regarde avec la tendresse d'une paternité longuement différée. Comme de son vrai nom la nature s'appelle création, ainsi l'humanité, sortie des mains de Dieu par voie d'évolution, reçoit, dans le souffle d'amour qui la crée, le nom générique d'Adam. Ce n'est pas un nom scientifique : c'est un nom symbolique que l'Homme, créé dans l'Alliance (appelée ici Paradis), reçoit de l'amour sans réserve de Dieu. C'est le nom de l'« image » que Dieu s'est donnée à soi-même par le moyen du monde. Le prononcer en l'abstrayant de l'amour créateur qui le premier l'emploie, c'est brouiller l'identité de celui qui le porte. Ce nom devient alors ridicule et il est finalement oublié. Mais au regard de Dieu, Adam le jamais solitaire, Adam l'inséparé d'Ève l'inséparable, c'est l'humanité en sa source et comme en raccourci, personnellement nommée et, de ce fait, divinement créée. C'est l'être humain, homme ou femme, le vivant réfléchi en qui Dieu forme sa ressemblance et trouve son répondant. Capable d'apprendre à parler, pouvant se connaître lui-même, désireux d'aimer l'autre comme un autre lui-même et non comme une chose, il est entré dans l'ordre de l'esprit; Dieu déjà lui fait signe par l'infini de ses désirs et sans lui dire encore la manière dont il va le combler, il l'ouvre par le cœur à toute plénitude.

De nos jours, c'est vrai, l'immensité cosmique a comme rompu le charme dont la Bible empreint le geste créateur. L'espace sans mesure appréciable où se meut notre monde inspire à des savants (un Jeans, un Rostand, pour ne pas parler des vivants) ce que Teilhard appelle « la détresse essentielle de l'atome perdu dans l'univers », détresse « qui fait journellement sombrer des volontés humaines sous le poids accablant des vivants et des astres [20] ». Ainsi se troublait Pascal. Moins croyants que lui, bien des modernes pensent découvrir dans l'univers l'abîme où doit se perdre et s'écraser l'aventure humaine : l'évidence du néant, la certitude de l'absurde envahit l'homme devant cet univers sans limites connues. Douleur sans remède – à moins

---

20. *Le Milieu divin,* Paris, Seuil, 1957, p. 77.

qu'on ne revienne à la vérité dont la méconnaissance provoque un tel désarroi.

CRÉATION ET ALLIANCE, ALTÉRITÉ ET COMMUNION

La détresse devant le fait d'exister disparaît-elle de l'homme si l'homme y voit une propriété éternelle de Dieu? La création deviendrait le signe que « Dieu » se cherche, ou plutôt se découvre lui-même par le moyen du monde. L'identité de l'homme serait celle de Dieu; il en deviendrait un aspect, un moment, une modalité sans consistance propre. Notre existence aurait pour sens, majestueux et dramatique, d'entrer dans le courant divin qui cherche à s'exprimer sans y parvenir vraiment. Ainsi se comprendrait le flot mystérieux de notre histoire. On aura reconnu quelque chose de la pensée de Jacob Bœhme [21], le cordonnier de Silésie († 1624), dont Hegel lui-même fait figure d'épigone dûment dialectisé. Mais en répondant de la sorte à la question posée par la contingence douloureuse de l'homme, on aliène l'identité et de l'homme et du monde, sans éclairer le mystère de Dieu.

Outre l'arbitraire avec lequel elle traite la Révélation qu'elle veut honorer, cette gnose anéantit ce qu'elle désire expliquer. Dieu n'est pas respecté comme Dieu, puisqu'un autre que lui le conditionne; quant à l'homme, devenant nécessaire à « Dieu », il cesse d'exister comme une vraie personne puisqu'il est le moment fugitif d'une suprême identité qui se cherche. Au mieux, nous n'existons que pour autant que nous servons à « Dieu » pour se poser lui-même. Avec Feuerbach et toute la gauche hégélienne, Marx a compris ainsi Hegel et, dans les *Manuscrits de 1844*, l'a justement rejeté. Mais, trop content peut-être de croire s'être ainsi débarrassé de Dieu, il n'a pas deviné que, Hegel et Bœhme récusés, le vrai Dieu apparaît plus vivant que jamais.

La création n'est pas un remède pour Dieu. Dieu ne

21. A. Koyré, *La Philosophie de Jacob Bœhme*, Paris, Vrin, 1971.

crée pas pour résoudre par le moyen du monde un problème autrement insoluble pour lui. Il crée non pour se faire exister, mais pour que nous soyons. N'ayant aucune fonction dialectique au sein d'un « Dieu » en mal de se connaître, nous existons vraiment pour nous. Seul un Dieu qui n'est Dieu que par soi peut assurer l'existence d'un monde et d'une humanité possédant, à des degrés divers, une identité propre. La création *ex nihilo* trouve ici son plein sens : c'est parce que Dieu n'a pas besoin de nous pour exister en plénitude que nous pouvons exister *nous-mêmes* devant lui [22]. Pour qu'existe par Dieu *un autre* que Dieu, Dieu doit être capable de faire surgir cet autre, si l'on peut ainsi dire, dans un complet *oubli de soi*. Nous ne répondons pas à l'étrange besoin que Dieu aurait de se nier, mais au seul pouvoir merveilleux qu'il possède d'aimer de façon créatrice, c'est-à-dire de faire exister pour soi-même un tout autre que lui. Comblé comme amour trinitaire, Il est capable de l'« extase d'altruisme » [23] qui définit la création.

Ainsi s'éclaire ce qui d'abord scandalisait. Différents de Dieu, certes, nous le sommes. Mais cette différence est le premier des dons que Dieu entend nous faire, lui qui veut réellement nous créer. La distance dans l'être est la condition essentielle qui nous fera nous-mêmes, nous conférant, par différence, une modeste et bienheureuse identité. Puisque Dieu est infini, nous serons donc finis; nous serons composés puisqu'Il est simple, soumis au temps puisqu'Il est éternel, conditionnés puisqu'Il est absolu; bref, vraiment non-Dieu puisqu'Il est le seul Dieu. Non pas qu'en nous créant Dieu nous répudie aussitôt : il nous constitue en nous-mêmes, non pas opposés ou contraires, mais *autres,* capables de devenir ainsi les partenaires d'une Alliance en dehors de laquelle il n'y a pas de création.

Paradoxalement – mais où le paradoxe est-il mieux à sa place ? – cette altérité n'est pas seulement notre identité

---

22. « La grande force de l'idée de création telle que l'apporte le monothéisme consiste en ce que cette création est *ex nihilo;* non pas que cela représente une œuvre plus miraculeuse que l'information démiurgique de la matière, mais parce que, par là, l'être séparé et créé n'est pas simplement issu du père, mais lui est absolument autre » (E. LEVINAS, *Totalité et Infini*, La Haye, 1961, p. 35).

23. F. GUIMET, *Existence et Éternité*, Paris, Aubier, 1973, p. 99.

devant Dieu : elle est aussi notre plus secrète ressemblance avec Lui. Quelle meilleure proximité en effet avec Dieu dans cette « région de dissemblance » que constitue la création comme dit saint Bernard après saint Augustin [24], que le fait d'être réellement soi-même devant Celui qui est *lui-même* comme nul autre ne l'est! Ce qui nous différencie nous honore en nous constituant à l'« image » du Tout Autre Lui-même. Dès lors, ce qui nous différencie tout ensemble nous sépare de Dieu et nous unit à Lui [25].

Franchissons une dernière étape. La nature n'est-elle pas l'occasion du scandale que l'homme éprouve sur lui-même? N'est-elle pas une « immensité désertique ou grouillante » d'astres et de vivants? Ne nous reprend-elle pas, par la mort, l'existence fugitive que la naissance nous concède? Sans doute. Mais n'est-elle pas aussi la pourvoyeuse générique de notre identité? Configurée à même la matière qui constitue, face à la simplicité spirituelle de Dieu, le plus non-Dieu qui soit dans le non-Dieu puisqu'elle se construit dans l'extériorité et l'extra-position, la nature est aussi un des sûrs indices de notre identité c'est-à-dire ici de notre différence radicale à l'égard de Dieu.

Bien plus, dans son altérité inconsciente la matière occupe l'extrême du non-Dieu et elle est à ce titre le gage du sérieux avec lequel Dieu fait surgir le plus autre possible que Lui. Cette différence absolue de Lui-même a cependant reçu de Dieu des dons d'immensité, de puissance et donc d'énergie. Par ces propriétés, le suprême non-Dieu qu'est cette réalité sans conscience de soi a encore ou déjà quelque chose de Dieu. Aussi la création a-t-elle pu commencer non par les anges comme le

---

24. *Sur le Cantique des cantiques,* XXVII, 6, à propos de l'âme et de l'Église. L'expression vient des *Confessions,* VII, 10, 16, et par-delà Plotin 1,8,13 *Ennéades,* et Platon *Politique,* 273 d. Elle aura une immense fortune en Occident au Moyen Age notamment.

25. Faut-il souligner ce qu'une telle réflexion doit à la pensée de Lévinas dans *Totalité et Infini ?* La critique pénétrante mais un peu « grecque » qu'en a faite J. DERRIDA (« Violence et métaphysique », in *l'Écriture et la différence,* Paris, Seuil, 1967, p. 117-228) n'en entame pas en profondeur la portée. Devant une telle critique, on comprend mieux peut-être que seule une vision chrétienne de la création dans l'Alliance, totalement accomplie dans le Christ, dépasserait l'opposition (sans doute insurmontable autrement) entre les pensées « grecque » du *même* et « juive » de l'*autre,* si l'on peut ainsi dire. Seule en effet une vision de la création dans le Christ peut parler d'une différence ou, comme dit Levinas, d'une « séparation », créée uniquement en vue d'une parfaite communion, où le même et l'autre, devenus *totalement personnels,* se rejoignent et s'unissent.

pensaient Augustin et le Moyen Age après lui [26], mais par la matière elle-même, comme semble le suggérer la Bible. Toute créature consciente pourrait ainsi trouver dans la matière, « sainte matière » comme disait en ce sens Teilhard [27], soit la condition, soit au moins le signe de son identité créée. Enveloppant de façon symbolique la création entière, la matière signifierait donc que nul être conscient ne saurait exister sans se rapporter d'une manière ou d'une autre à l'univers physique, immense sacramental et berceau galaxique d'une condition de finitude qui unifie tout le non-Dieu.

L'homme en tout cas naît et se déploie dans ce monde sensible. C'est là qu'il s'imprègne du sentiment de son altérité [28]. Épreuve prodigieuse, qu'il faut être Dieu pour oser faire courir à l'homme et courir avec lui! Le risque est immense en effet que cet être, qui doit passer par une telle distance pour se trouver lui-même et pénétrer dans l'Alliance divine, ne sombre dans un vertige de finitude, transmuant sa différence en hostilité. Risque d'autant plus plausible que la mort physique, inoculée à la nature par loi de construction, va faire peser sur l'homme un poids redouté de détresse et de nuit. Le sens inné de Dieu, sans lequel aucun non-Dieu conscient ne saurait exister, lui est sans doute un ultime recours; mais la profondeur des souffrances endurées sera capable de brouiller toute trace du plus léger espoir. L'« infinité » du monde pourra devenir pour lui l'assurance d'une *déréliction* dont Heidegger a fait le maître mot de l'existence. Se peut-il dès lors que l'amour ait quelque chose à voir avec une création où la mort paraît nous conduire au néant?

Devant le problème du mal qui naît et renaît sans cesse des entrailles du monde, est-il vraiment possible que Dieu qui nous crée dans ce monde se dérobe à nos déchirements? Est-il possible, comme on le répète souvent, que le dernier mot de la foi soit qu'on ne peut rien dire sur le seul problème où Dieu, le responsable de cette création, est requis à bon droit de s'expliquer sur elle? S'il ne *peut* rien dire, le mal est donc plus fort que lui; le mal prend

---

26. *De Genesi ad litteram*, II, 8.
27. *Le milieu divin*, p. 121.
28. Sauf mauvaise interprétation de ma part, c'est ce que Levinas appelle pour l'homme « l'élémental » comme distance à l'Infini (*op. cit.*, p. 104-105).

des allures d'absolu véritable, capable de voiler sans remède la présence de Dieu [29]. En revanche, si Dieu ne *veut* rien dire, sa gloire consistant à ne pas s'expliquer ou même à se scandaliser de nos questions de douleur et de mort, c'est qu'il a été deserté par l'amour. S'il n'en est rien, la gloire de Dieu est de faire sienne la douleur qui est nôtre et qui nous vient de lui, en éclairant sa création par son Alliance, c'est-à-dire par son Incarnation.

LE PREMIER ET LE DERNIER ADAM

Adam – c'est toujours de lui qu'il s'agit dans l'amour créateur – ne nous a pas encore livré tout son secret. Cet Adam, c'est bien d'abord nous-mêmes, une humanité qui monte de la terre, rouge encore de son sang matriciel. Mais il n'est pas le seul. Premier dans l'apparaître, il est relatif à un Autre, l'être que Paul appelle nous l'avons vu déjà « le dernier Adam », le **dernier,** c'est-à-dire ici le plus parfait et donc aussi l'ultime. L'Adam que nous sommes n'en est que la « figure » c'est-à-dire le présage. Sans doute cet autre Adam n'est-il pas pensable sans nous : il faut que l'homme soit au moins sous forme de projet, pour que Dieu veuille lui donner un accomplissement absolu. Jamais toutefois le premier ne pourrait au regard de Dieu simplement apparaître sans relation constitutive à Celui qui, venant après lui, est son ultime raison d'être et donc sa vérité.

Entre les deux Adam, il en va comme entre le Baptiste et Jésus. Jean paraît d'abord, mais il est le second. Jésus est en réalité le premier. Jean rétablit la vérité des choses en s'effaçant devant Jésus : « Après moi vient un homme qui a passé devant moi, parce qu'il était avant moi » (Jn 1,30). Ainsi l'Adam de la *Genèse,* premier paru, n'est pas premier conçu quant à sa raison d'être. Son existence ne va pas sans cette identité complexe qui fait qu'un même nom recouvre, dans l'Écriture, l'homme et Celui par qui l'homme doit se voir accompli. Sans doute est-ce

---

29. Plus haut, p. 75-76.

bien l'homme qui est voulu pour lui-même, mais son identité implique un médiateur qui puisse le conduire jusqu'au bout de lui-même. Ultime vérité de l'homme, le Christ fait donc partie intégrante d'Adam, mais de manière encore cachée. Le Nouveau Testament lèvera le voile qui recouvre non seulement l'Écriture (2 Co 3,14), mais aussi le visage de l'Homme. Désormais comprendre ce qu'est l'Homme aux yeux du Créateur c'est aussi regarder le Christ, auquel Adam est depuis toujours inséparablement rapporté. Ainsi l'aube qui point en Adam n'est jamais séparée du soleil qui monte et doit envahir l'humanité. Comme l'écrit Tertullien, « le Christ déjà envisagé était l'être à venir de l'homme [30] ».

Le Christ n'est donc pas donné d'abord à cause du péché, mais au titre tout nu de notre humanité. Dans la doctrine des deux Adam de (1 Co 15), le péché n'est certes pas exclu; il est même clairement impliqué [31]. Il n'est pourtant pas la raison de ce que dit Paul sur le rapport d'Adam au Christ. A moins d'avancer que l'homme *ne* meurt physiquement *que* parce qu'il a péché, niant ainsi sa finitude naturelle, on reconnaîtra que le Christ peut répondre dans l'homme au scandale de la mort sans que ce soit **uniquement** en raison du péché. Précisément, d'après l'*Épître aux Corinthiens*, le Christ ne vient pas avant tout détruire le *péché (hamartia)* par sa justice personnelle *(dikaiosunè)*, comme Paul le dira dans l'*Épître aux Romains* : il détruit d'abord la corruptibilité naturelle ou terrestre de l'homme *(phtora)* par l'incorruptibilité *(aphtarsia)* spirituelle ou céleste, trans-humaine, de sa résurrection. Ce vocabulaire que l'on a dit « gnostique » [32] est tout simplement paulinien; il énonce dans l'homme une évidence naturelle pour pouvoir annoncer que dans

---

30. *De carne christi*, 6.
31. 1 Co 15,30.50.
32. Le travail de C. COLPE (*Die Religionsgeschichtliche Schule. Darstellung und Kritik ihres Bildes vom gnostischen Erlösermythos*, Göttingen, 1961) semble avoir fait justice de cette idée. Mais il faut tirer toutes les conséquences du rejet d'une pareille erreur. De simples allusions au second Adam ne suffisent pas pour rendre justice à la profondeur de ce mystère, comme c'est encore le cas chez W. PANNENBERG (*Esquisse d'une Christologie*, Paris, Cerf, 1971, p. 259, n. 19, et p. 348 n. 53). Il faut montrer la place que le Christ ressuscité comme *dernier Adam* doit tenir dans une vision christologique de la *création* et pas seulement de la rédemption, révélée par le Nouveau Testament.

le Christ ressuscité notre mort naturelle est elle aussi vaincue.

Se trouve ainsi jetée sur le mystère de notre création une lumière décisive. Pour devenir lui-même, l'homme doit éprouver sa propre altérité à l'égard de Dieu et traverser, au titre de la finitude, l'abîme de sa mort. Celle-ci cependant ne peut être le dernier mot de Dieu à cet Adam créé tout entier par amour. Dieu « n'a pas fait la mort, il ne s'est pas complu en elle », comme dit la *Sagesse* [33]. Aussi ne s'est-il pas laissé emprisonner par elle en prodiguant ses dons. Si, en vertu de notre appartenance au monde, la mort est inscrite dans notre identité, y sera également inscrite l'appartenance au Christ qui abolit la mort. Par sa communion avec nous dans la mort, le Christ nous ouvre à la communion avec Dieu dans la merveille de sa Vie – cette Vie que notre finitude semblait nous interdire, et dont le péché nous écartait encore pour une autre raison. Jésus ressuscité, dernier Adam, homme suprême, est donc notre parfaite vérité, la condition *sine qua non* grâce à laquelle Dieu a pu vouloir nous créer, malgré la souffrance et la mort qui conditionnent tout d'abord notre surgissement dans une identité inévitable de finitude et de non-Dieu.

Ces vues sont-elles traditionnelles? Aucun des Pères, dit-on, ne les aurait préconisées. Est-ce si vrai [34]? Mais ce que les Pères n'auraient, dit-on, pas fait (sans doute parce qu'ils ne sentaient pas le besoin de le faire), ne devons-nous pas, sans pour autant les contredire, le risquer? L'approfondissement devenu nécessaire des conditions de notre finitude semble le requérir; le scandale du mal et de la mort aussi; plus encore, croyons-nous, l'Écriture le suggère. Sans donc nier que le péché affecte comme en surimpression spirituelle notre mort biologique [35], ne nous

---

33. Voir plus haut, p. 37.
34. Cf. plus haut la pensée d'Irénée.
35. C'est ce que dit le premier canon du Concile de Carthage qui condamna Pélage en 417. Ce qui est inadmissible à ses yeux au regard de la foi, c'est que le péché n'ait *aucun rapport* avec la mort physique. L'erreur de Pélage était d'*exclure* toute influence du péché dans la mort même physique; la vérité ne consiste donc pas à *réduire* cette mort à un pur effet du péché. La mort physique pour la finitude biologique de l'homme va de soi, mais le péché en aggrave spirituellement le poids en faisant de la nature humaine une nature *historiquement* blessée.

arrêtons pas à regarder le seul péché. Puisqu'il n'est pas, dans l'acte créateur, le dernier mot de tout, il ne l'est pas non plus dans l'existentialité de cet homme parfait qu'est Jésus, notre dernier Adam [36].

L'EXISTENTIALITÉ DE JÉSUS DANS SON RAPPORT AVEC LA CRÉATION

Jésus est donc là dans la création de son Dieu, modeste et, de quelque manière, encore « néolithique ». Ne cherchons pas dans sa vision du monde le pressentiment de ce que nous savons aujourd'hui sur la structure de la matière ou l'évolution des vivants. L'univers est pour lui ce que l'on peut en voir des bords d'un lac et d'après la lecture de la Bible. Jésus connaît le rythme des saisons, le soleil et la pluie, les oiseaux du ciel et les fleurs des champs; il sait la ville sur la montagne, les routes et leurs périls, le brouhaha du jour, le silence des nuits et le chant du coq au matin. Artisan et fils d'artisan, il connaît les métiers de son temps, l'entretien des vignes, le métayage, les journaliers et leurs salaires, la pêche et le commerce, les travaux domestiques et les travaux des champs. Il admire les enfants, il comprend et respecte les femmes qui le suivent et qui l'aiment simplement, comme lui-même aussi les comprend et les aime, sans le moindre indice d'auto-possession de sa part ou d'accaparement ébauché de la leur. Les fondations de la maison, le roi qui part en guerre, les jugements iniques, les disputes à

36. En parlant de l'*existentialité* de Jésus, nous entendons sortir d'une difficulté exégétique présentée parfois comme pratiquement insurmontable. De fait l'histoire *biographique* de Jésus est impossible à écrire en détail. La raison en est simple : les évangélistes n'ont pas voulu le faire. Mais il existe une histoire *existentielle* de Jésus, car les Évangiles veulent nous faire saisir la manière dont Jésus s'est *rapporté concrètement à ce qu'on peut appeler les grandes sphères de l'existence humaine :* famille, travail, société, politique, religion. C'est cela que j'appelle l'*existentialité* de Jésus, et que j'envisage ici sous l'aspect de son rapport avec Dieu dans la création qui, tout en enveloppant l'ensemble de sa vie et de ses rapports humains, les qualifie d'une manière spéciale. Un tel regard permettra à la vision de la création *dans le Christ* de ne pas s'intellectualiser faute d'avoir considéré d'abord le Christ lui-même *dans la Création*.

mort, la joie des noces, les dépenses insensées des prodigues, la jalousie d'un frère, la rouerie des puissants, la bonne chère des riches, les jeux des enfants, tout a frappé sa vue et façonné ses sens et sa raison. Lorsqu'il ouvre la bouche, son cœur s'ouvre aussi et dans l'embrasure transparente des mots, on voit l'humanité merveilleuse d'un être qui a tout ressenti, tout deviné du monde de son temps, et qui, sans rien figer dans un système, a tout compris sans prétention.

La douleur a sa place, immense, dans son humanité : les malades l'assaillent, forment autour de lui une constellation de détresse physique, parfois mentale. Ils attendent, se faufilent comme ils peuvent, ils supplient ou l'on supplie pour eux. Pour eux encore, on perce le toit des maisons afin de les signaler à Jésus et obtenir ce qu'il est d'ailleurs disposé à donner. Il est là, pour les corps mais aussi pour les cœurs abîmés. Les pécheurs patentés, les femmes dont on abuse, les exclus de l'amour et du respect, samaritains, « publicains et pécheurs », tous les grabataires du péché, il est leur commensal et partage le mépris dont ils sont abreuvés.

A cette familiarité de Jésus avec tous les humains correspond sa familiarité avec la création; l'une et l'autre ont même source. Dieu n'est-il pas le créateur du ciel et de la terre, le nourricier des hommes et des oiseaux, le couturier sublime qui vêt de fleurs les champs? Ouvrant ainsi les yeux sur toutes choses, Jésus y voit Dieu sans nuage. Les causes secondes dont parleront plus tard les sages ne l'embarrassent pas; il ne les méconnaît pas, puisqu'il estime les métiers qui les mettent en œuvre et qu'il en pratique un; mais à travers la « nature », il atteint Celui qui toujours la crée. A travers le soleil et la pluie, il perçoit l'amour personnel de Dieu qui dispense ce dont l'homme a besoin pour sa tâche. Ce que fait Dieu en pleine création, Jésus le fait parmi ses frères : il rend l'existence vivable en purifiant le ciel humain de ses passions; il émonde les cœurs comme Dieu garantit les saisons, pour que la vie des hommes ait la droiture du Dieu qui établit la création. Aussi au sortir de la nuit durant laquelle il a prié, peut-il enseigner sa prière, où la vision du Dieu qui doit tout rénover par son Règne s'associe au pain et au pardon.

Un tel monde n'est-il pas révolu ? Bien plutôt, quelque chose d'essentiel s'y trouve révélé, qui en déborde le module scientifique ou social et touche à la racine même le cosmique et l'humain. Alors, la nature peut bouger, devenir insondable dans l'infime ou l'immense, plus vaste que le suggèrent déjà ces « îles » et ces « lointains » dont parlent les Prophètes, elle restera ce qu'elle fut, ce qu'elle est pour Jésus : la création, où l'on peut percevoir, si l'on n'oublie pas qu'elle est toujours **donnée,** l'amour de Celui qui la donne. Que l'univers soit tabulaire, sphérique ou supposé en expansion, que ce soit notre terre qui tourne ou le soleil qui devienne une réserve nucléaire, que les anémones des champs soient la dernière version des végétaux du secondaire, que l'homme soit debout depuis plusieurs milliers de millénaires... il y a là du décisif dans l'ordre du savoir, mais rien en lui ne nous dispense de Celui qui crée ce monde et lui donne dans l'être son devenir et son soutènement.

Pareillement pour l'homme : il pourra transformer le visage des campagnes et des villes, gagner les airs, vaincre les océans, sangler la terre et zébrer l'atmosphère de réseaux de communications, sonder avec des robots l'espace interplanétaire ou scruter avec ses télescopes de lointaines galaxies, il pourra entasser des richesses ou détruire sans pitié les hommes et les maisons : tout est inclus déjà dans le sens humain de Jésus; non qu'il soit un *veto* imposé à l'histoire, mais il vit avec un parfait naturel l'expérience quotidienne des hommes et met à nu devant nous pour toujours leur existentialité la plus élémentaire. L'homme peut donc se libérer de maintes contraintes physiques, préciser son savoir des atomes et des ondes, devenir praticien en toutes sortes de pouvoirs qui modernisent ses spectacles, ses guerres, ses villes et ses usines; il demeure, au plus fort de son évolution, ce qu'au temps de Jésus il est déjà, ou encore, et restera toujours : un être rigoureusement conditionné par l'air de ses poumons, par le sel et l'eau dont son corps a besoin, le riz et le pain pour sa table et pour ses yeux le ciel et l'horizon. Il peut raffiner et même sophistiquer son rapport à ce monde, il ne l'abolit pas; il en démultiplie au contraire la nécessité par ses découvertes nouvelles. Les produits de ses Californie ou le néon de ses cités l'immergent autant dans la nature que le font les épis froissés dont les disciples de Jésus apaisaient leur fringale, ou que le fait la lampe fumeuse dont s'éclairaient alors les modestes maisons. L'oubli qu'on peut commettre des nécessités les plus élémentaires de l'homme, concernant la nourriture, l'habit, le logement, la dignité, le droit à l'expression, trouvera toujours devant lui l'aide-mémoire, le contre-oubli vivant que représente la Personne de Jésus identifié pour y porter remède et pour les abolir, à toutes les infortunes, issues de la nature ou engendrées par l'homme.

En un mot, la sonde existentielle, dont dispose Jésus pour pénétrer la nature et l'histoire, le conduit, d'où il est comme « galiléen », jusqu'aux vraies profondeurs.

Nulle question ici d'une priorité quelconque pour un continent, un sexe, une race, un type d'homme, d'histoire ou de culture; il s'agit seulement de l'homme dans son rapport à la terre habitée, à la terre qu'il faut rendre pour tous habitable. L'humain qui fait l'assise universelle des prétentions divines de Jésus est un humain qu'on dirait planétaire et qui est plus encore coextensif à l'histoire tout entière. Non seulement dans les cinq continents on peut reconnaître en Lui, si nous ne trahissons pas son visage, l'archétype irremplaçable de l'humain, mais il n'est pas un homme qui, lisant l'Évangile dans l'espoir d'y trouver l'humanité de Dieu, ne puisse la rencontrer en celle de Jésus et découvrir en même temps les traits fondamentaux d'un humain dont il déplorerait l'absence. Les difficultés du Message et du Mystère divin de Jésus ne peuvent amoindrir la crédibilité singulière de Celui qui nous ramène tous à l'essentiel de nous-mêmes, omis pour le malheur et retrouvé pour le salut de chacun et de tous. Les discontinuités des événements et des lieux, les ruptures culturelles qu'on dit instauratrices et qui le sont parfois, comptent moins que la pérennité de la nature et de l'humain dans sa grandeur, ses joies et ses chagrins. Cette pérennité, Jésus l'atteint et la dégage en vertu d'un sentiment que la vision de l'Amour créateur illumine et contient.

JÉSUS FACE À LA MORT

Si Jésus demeure à ce point actuel au cœur de tant de mutations, on peut penser qu'il est encore en résonance avec le plus irrémédiable de notre finitude. De fait, Jésus, nous l'avons vu, se montre incomparable avec les malades, les souffrants. Pas trace de dolorisme en lui; pas le moindre soupçon à l'endroit du bienfait d'exister. Mais que deviendra-t-il à son tour en face de la mort [37]? Comment trouve-t-il Dieu dans cette déchirure qui lacère et qui semble détruire en nous sa création?

Devant la mort des autres, Jésus partage la détresse. Ainsi pour le fils de la veuve de Naïm ou pour la fille de Jaïre. S'il dispose alors d'un pouvoir d'« éveil » qui alerte sur son identité et le situe au moins dans le sillon des grands prophètes, il ne se soustrait pas lui-même à la douleur de voir mourir les autres. Il pleure avec les sœurs de Lazare; il se trouble en face du tombeau où l'on a déposé son ami et pleure de ne pouvoir encore lui redonner une vie pleinement affranchie de la mort. Mais le plus décisif est qu'il intègre librement en sa vie l'éventualité de sa mort. Sans pierre, comme il le dit, où reposer sa tête, Jésus est dépourvu de tout appui pour protéger sa vie. Entièrement livré et non moins démuni, il travaille et combat à cœur ouvert et à mains nues. Sans aucun souci de gloire ou de puissance, il est en butte à qui les détient ou les cherche; ni vexant ni flatteur, il est simplement vrai. Sa parole dit *oui,* si c'est *oui* qui s'impose, ou au contraire elle dit simplement *non.* Il sait que ce qu'il dit fait partie des propos qui, dans son peuple, conduisent les prophètes à l'isolement, à la persécution, à la mort. Pas un silence cependant, pas une parole non plus qui soit une manœuvre pour préserver son corps des retombées mortelles qu'impliquent ses propos. La vraie

---

37. Sur ce sujet, du point de vue surtout exégétique : J. GUILLET, *Jésus devant sa vie et sa mort,* Paris, Aubier, 1973; H. SCHÜRMANN, *Comment Jésus a-t-il vécu sa mort? Exégèse et théologie,* Paris, Cerf, 1977; X. LÉON-DUFOUR, *Face à la mort, Jésus et Paul,* Paris, Seuil, 1979.

profondeur de Jésus, humainement parlant, est celle du
témoin qui met sa vie en jeu dans ce qu'il est et ce qu'il
dit.

Mais jamais il n'en veut aux hommes qui lui imposent
les conditions d'une vaillance qui naît en lui de son amour
et de sa liberté. Bien moins encore peut-il se scandaliser
que Dieu demande à son service une oblation qui trouve
dans la mort sa seule limite et son dernier langage.

Comment se conduirait-il autrement? Membre d'un
peuple qui sait ne devoir qu'à Dieu son existence et son
destin, Jésus confesse à tout propos sa foi et son amour
pour ce Dieu d'Israël. Il approuve et admire qui le fait
devant lui. Il visite le Temple, respecte librement le Sabbat
et la Loi. Il vit de l'Écriture où il lit le chemin de
l'Alliance; il en connaît les épisodes; il en aime les héros
et les saints, dont l'exemple l'inspire. C'est par cette
histoire humaine et sainte tout à la fois qu'il s'enracine
dans le mystère de Dieu. Point de rupture pour lui entre
l'histoire de son peuple et celle de la création : le Dieu
qui nous prévient de son amour dans les travaux cosmiques
est le même qui vient vers nous dans la liberté de son
Règne. Création et histoire de l'Alliance (ou si l'on préfère
du Royaume) forment corps à ses yeux. Leurs fonctions
s'harmonisent, leurs exigences aussi. Dans l'une et l'autre
le don total est de rigueur. Au Dieu qui donne sans
compter doit répondre dans l'homme une existence livrée
elle aussi sans partage. La nature pour Jésus n'est donc
pas bucolique, elle est de l'ordre de l'esprit. S'il loue les
oiseaux et les fleurs, ce n'est pas d'abord en poète, mais
en Fils parce qu'ils symbolisent pour lui son existence de
parfait abandon. Lorsque la mort du grain évoque le
mystère de son « heure », il frémit dans sa chair de ce que
la nature puisse à ce point représenter la profondeur de
sa mission.

La mort à laquelle il arrache Lazare sera pour lui une
violence horrible imposée par les hommes et qu'il doit
transformer en pardon. Même s'il doit suer le sang, il ne
recule pas. Tel est le paradoxe qui définit son existence :
témoigner à ce Dieu déjà connu en Israël un tel amour
que la mort même, jusqu'alors inchangée par la sainteté
des prophètes eux-mêmes, en soit enfin transfigurée. En
effet, pour Jésus, la mort qui semble tout détruire doit

pouvoir exprimer sa suprême adhésion de serviteur, de témoin et d'enfant. Elle doit aussi permettre à Dieu de se dire lui-même comme jamais encore il n'en eut l'occasion. Le grand signe que Jésus veut donner ne paraîtra ni dans le ciel ni chez les autres : il ne sera qu'en lui, lorsque sa prétention d'avoir avec le vrai Dieu de son peuple un rapport tellement singulier qu'il confine, dit-on, au blasphème, l'aura jeté, démembré par la croix, dans la mort. Nouveau Jonas, il affrontera cet abîme; il montrera ce que le Dieu vivant peut faire de notre mort, lorsqu'elle est abordée dans un amour dont aucun des prophètes, aucun des patriarches ne fut jusqu'alors doté, si l'on excepte la figure du Serviteur souffrant dont Jésus est le seul à décrypter le sens en le réalisant.

Ainsi Jésus porte-t-il à la mort le plus sublime et le plus simple des défis. Il semble ne pas songer un seul instant que Dieu puisse l'abandonner dans la mort à laquelle il va pour Lui, pour nous, se livrer. Il appelle cela : se savoir « exaucé ». Un tel exaucement, qui ne le dispense pas de mourir, le dispense à coup sûr de douter. « Tu ne laisseras pas ton saint voir la corruption », avait prié l'humble lévite, dont le propos rempli d'audace servira aux apôtres à parler du mystère de Jésus. Sans arrogance et dans une certitude qui n'exclut pas une « agonie », Jésus affronte la mort non pas comme un pécheur qu'il n'a jamais été, mais en co-partageant de notre condition; il enracine ainsi sa propre humanité dans l'authenticité tragique de la nôtre, qu'il va accomplir et sauver.

Au matin de Pâques, tout se voit rénové par l'ouverture humainement inexplicable du tombeau. Bientôt va retentir la nouvelle absolue : « Il est vraiment ressuscité! » – « La mort sur lui n'a plus d'empire », commentera saint Paul. Le pouvoir créateur de tout faire exister est devenu en Jésus-Christ le pouvoir messianique de nous délivrer pour toujours de la mortalité. Bientôt encore, on pourra dire que « le Ressuscité est apparu à Simon Pierre », et le message apostolique prendra sans tarder son essor. Que s'est-il donc passé? Rien qu'on puisse décrire en soi-même! Mais, comme le diront Pierre et Paul, tous les apôtres et l'Église entière avec eux : les promesses de l'Alliance ont été accomplies en Jésus, elles ont trouvé en lui leur *oui* sans *non*. Dieu a fait de Jésus son Christ. Il répand par lui et en lui la lumière attendue et promise sur cette Création en faisant de Jésus par la Résurrection « le Premier-né de toute créature ».

« LE PREMIER-NÉ DE TOUTE CRÉATURE »

Lorsque l'*Épître aux Colossiens* confesse le Christ Ressuscité comme « le Premier-né de toute créature », elle entend déclarer que Dieu n'a pas engendré l'univers sans que le Christ en soit la raison d'être, puisqu'« en lui *tout a été créé* », qu'« il est lui, par-devant tout », qu'« en lui tout se tient », qu'il est « le Principe » et qu'il doit « tenir en tout, lui, le premier rang » (1,16,17,18).

De telles assertions commandent une vision renouvelée de la création. Encore faut-il écarter toute séquelle d'arianisme. « Le Premier-né de toute créature » n'est pas le Fils ou le Verbe en lui-même, qui ne verrait ainsi le jour qu'au matin de la Résurrection. Il suivrait de là que la Tri-unité du Père, du Fils et de l'Esprit ne serait pas l'Être même de Dieu; elle serait une modalité qu'il revêt pour nous par voie d'incarnation [38]. Ce qui semble valoriser le mystère en le rendant plus accessible le détruit. Dieu est anéanti s'il dépend de l'histoire pour se donner un Fils. Depuis toujours, il possède dans l'Esprit un pouvoir paternel dont l'incarnation nous révèle le Terme, mais qu'elle ne fonde pas. Le Nouveau Testament ne dit jamais que l'incarnation a *conféré* un Fils à Dieu; il dit que Dieu nous le *révèle* en nous introduisant par l'Esprit dans la communion de sa Vie. « Nous avons vu sa gloire, cette gloire que le Fils unique plein de grâce et de vérité tient " du Père " » (Jn 1-14). Jean lui rend témoignage et proclame : « Voici que vient celui dont j'ai dit : Après moi vient un homme qui m'a devancé parce qu'il était avant moi. De sa plénitude en effet nous avons tous reçu, grâce

---

38. G. SIEFER, « Trinität. Der vollendete Bund, Thesen zur Lehre vom dreipersönlichen Gott », in *Orientierung*, 37 (1973), p. 115-117. En refusant toute christologie dite descendante, on s'expose à détruire l'identité divine de Jésus et à ramener toute doctrine trinitaire à une modalité de l'*histoire du salut*. Sur le caractère révélateur de l'incarnation par rapport au mystère de Dieu, Karl RAHNER, *Traité fondamental de la foi*, p. 163-208.

sur grâce. Si la loi fut donnée par Moïse, la grâce et la vérité sont venues par Jésus-Christ. Personne n'a jamais vu Dieu; le Fils unique qui est dans le sein du Père nous l'a dévoilé » (Jn 1,14-15). Par son incarnation le Fils qui est depuis toujours devient comme homme le Révélateur du Père dans la Puissance de l'Esprit. « Image du Dieu invisible » (Col 1,15) et portant sur sa Face celle même de Dieu (Jn 1,18), Il est la créature incomparable, puisqu'Il est le Fils en la chair; tard venu de l'histoire et de la création, Il a sur elles deux la préséance qui est celle du Fils. Il est ainsi, comme Fils en la chair, le « Premier-né de toute créature » en son incarnation, sa vie, sa mort et plus encore en sa Résurrection.

Le pardon, éternellement *prévu* lui aussi, comme le dit la Première Épître de Pierre sur laquelle nous revenons dans le dernier chapitre, implique le don éternellement *accordé* qui pré-contient en lui le pardon. N'est-ce pas en effet en fonction de ce don primordial qu'existe le refus auquel s'adresse le pardon? Sans doute, le don de Dieu n'est-il jamais lui-même qu'enveloppé dans le pardon qui en révèle l'ultime profondeur. Néanmoins la gratuité totale du pardon qui nous est éternellement réservée présuppose en Dieu le dessein radical de se communiquer à nous de telle sorte que notre indignité ne soit jamais plus forte que son désir de communion. Ce que Dieu nous pardonne c'est que, conviés au partage, nous préférions l'indifférence sinon l'opposition. Supprimez l'élection qui veut nous faire fils, l'infirmité qui nous détruit n'a plus d'objet et le pardon non plus. La priorité radicale du don sur le pardon qui en parfait la signature d'amour est donc, semble-t-il, évidente. Elle commande aussi « dès avant la création du monde » l'existence pour Dieu de Celui « en qui *tout* est créé ». Si le corps du Christ se teinte à tout jamais des douleurs glorieuses de son sang répandu, c'est qu'il pousse à l'extrême la divine logique de l'oblation première; il nous révèle par sa Croix le paroxysme d'un amour qui s'est déjà éternellement engagé pour sa création dans une incarnation divinisante qui va devenir crucifiante pour lui, de notre fait à nous comme pécheurs.

Bien que le Ressuscité demeure à jamais le Crucifié dont l'*Apocalypse* contemple le triomphe sous les traits de l'« Agneau immolé » (5,12; 7,17, etc.), ce n'est pas en tant que crucifié que le Christ est pour l'Épître aux Colossiens, « le Premier-né de toute créature », mais en tant qu'il est « le Premier-né d'entre les morts » (Col 1,18). En effet puisque l'Épître aux Colossiens considère ici la création du point de vue de Dieu, ni le péché ni sa suppression par la Croix ne peuvent apparaître comme la réalité **première** de cette création. Le péché est erreur, aberration, anomalie par rapport à l'amour de Dieu : il est donc **second**. Avant que le créé le détériore, il faut qu'il soit. Or le créé n'existe pas *pour* Dieu en dehors de l'Alliance en laquelle il est dès le Principe intronisé *par* Dieu. Affirmer que « le don de la grâce » sera par nous aussitôt méconnu – ce qui n'est en un sens que trop vrai! – ne dit encore rien sur la nature première de ce don. Ne voir dans le dessein de Dieu **que** la manière dont il prévoit, de toute éternité, l'abolition de nos misères [39], c'est omettre quelque chose de radical dans l'acte même de créer dont chacun des chapitres initiaux des deux grandes épîtres de la captivité entend nous parler en approfondissant la *Genèse* [40]. Or un tel acte ne saurait concerner tout d'abord **ce que la créature fait de ce que Dieu lui donne,** mais bien **ce que Dieu donne à la créature qu'il fait.** Tant qu'on n'ose pas regarder en Dieu ce point de lumière éternelle que l'Écriture nous permet de fixer, parlant de **création avant** de parler de **salut** – sans jamais le nier! –, on omet un aspect essentiel de l'acte créateur, lié au mystère du Christ comme « Premier-né de toute créature ».

L'amour de Dieu dont parle ici l'Épître aux Colossiens comme font le premier chapitre de celle aux Éphésiens et le chapitre 8 de la Première aux Corin-

---

39. « Ce n'est point par des choses périssables, argent et or, que vous avez été rachetés de la vaine manière de vivre de vos pères, mais par le sang précieux, comme d'un agneau sans défaut et sans tache, celui du Christ, *prédestiné avant la fin du monde* et manifesté à la fin des temps à cause de vous » (1 P 1,18-20).

40. S. LYONNET « L'hymne christologique de l'épître aux Colossiens et la fête juive du Nouvel An », in *Recherches de science religieuse*, 1960, p. 93-100. Bien que le verset visé par cette étude soit le verset 20 de notre hymne, il n'est pas inutile de rappeler que la fête de Rosh Hashanah évoquait à la pensée des Juifs *l'action de Dieu* dans le cosmos (p. 95). Le rapprochement entre cette fête et le contenu de notre hymne est suggestif : il montre la place que Paul attribue au Christ dans la création de Dieu.

thiens [41] n'est donc pas d'abord rapporté au fait que nous allons pécher ou que nous l'avons fait, mais au dessein plus radical que Dieu formule en nous créant de nous donner le Christ, de nous donner au Christ pour qu'il nous livre à lui dans l'adoption du Saint-Esprit. C'est donc en fonction de l'acte créateur contenu dans l'amour éternel de Dieu que Paul présente le Christ comme « Premier-né de toute créature ». Il faut essayer de comprendre ce « Premier-né » d'après ce que Dieu donne **du fait même qu'il crée,** sans le moindre mérite ou démérite encore de notre part et non pas seulement d'après le fait, d'ailleurs incontestable, que nous péchons. Barth lui-même n'a pu, semble-t-il, sortir de l'obsession prioritaire du péché pour regarder dans l'amour créateur autre chose qu'une alliance de « réconciliation » et non pas d'abord de divinisation. Or l'amour de Dieu ne se mesure pas d'abord au fait qu'il nous sauve alors que nous péchons, mais au fait qu'en nous créant, pour nous créer, il nous confère une adoption dont le Fils incarné comme « Premier-né de toute créature », révèle à tout jamais le contenu et le visage. L'audace est ici de rigueur si nous voulons saisir, par-delà toute timidité déplacée, la profondeur du Nouveau Testament.

Paul, nous situant ici dans l'acte créateur, déborde en audace ce qu'il nous dit du Christ lorsqu'il le présente comme « le dernier Adam ». Ce titre concerne le rapport du Christ à notre seule humanité, alors que celui de Col 1,15 concerne son rapport à « **toute** créature ». Ce seuil de grandeur doit être remarqué. Il exige qu'on pense l'homme non pas seulement comme *homme,* mais comme *créature* pour que, paraissant parmi nous, le Christ ne soit pas limité à nous-mêmes et qu'en nous intégrant pleinement, il puisse déborder sur la création tout entière.

Créer, avons-nous dit, c'est faire surgir de l'**autre que soi,** c'est-à-dire du non-Dieu. La ressemblance de ce non-Dieu à Dieu existe au prix de cette altérité, qui fait que des êtres conscients, devenant réellement **eux**-mêmes pos-

---

41. Ainsi encore dans l'*Épître aux Hébreux,* centrée pourtant sur l'acte rédempteur, l'auteur s'arrêtera d'abord avec une complaisance évidente sur la grandeur du Christ par rapport à la création entière, condensée pour lui dans les anges. A. VANHOYE, *Situation du Christ, Épître aux Hébreux 1 et 2,* Paris, Cerf, 1969, p. 160-169.

sèdent ceci de commun avec Dieu qu'ils sont eux aussi des sujets. Mais cette dignité ne va pas sans détresse. Même si celle-ci demeure un certain temps cachée, peut-être en raison du bonheur d'exister, elle ne peut pas ne pas se révéler un jour. D'abord fugitive et comme naturelle, puisqu'elle s'identifie avec le fait de n'être pas Dieu soi-même, cette détresse de non-Dieu surgit pleinement lorsque est devenu scandaleux cet autre fait élémentaire, qu'on ne doit qu'à Dieu seul d'être ainsi du non-Dieu. Comment Dieu – telle est la question où tout devient tragiquement limpide – peut-il ainsi créer du non-Dieu sans pressentir quel malheur suprême sera pour cet « autre que Dieu » la découverte que, Dieu étant sa Source, il devra pourtant couler hors de Lui son existence de non-Dieu? Et s'il s'agit, comme pour l'homme, d'une existence de non-Dieu **incorporée** au monde et non seulement, comme pour l'ange semble-t-il, **symbolisée** par lui [42], le malheur du non-Dieu sera d'aller, par le détour du temps, aux antipodes mortelles du Dieu vivant. D'ailleurs, même si le non-Dieu devait finir par s'accommoder d'une pareille situation, pour cent raisons (dont la dernière serait celle du pécheur qui en viendrait, par désespoir, à se passer de Dieu), Dieu pourrait-il se résoudre à créer du fini pour le laisser dans un tel écart par rapport à lui-même, surtout s'il voit sa créature tentée de rejeter son Créateur qui n'aurait pas

---

42. On ne peut proposer une christologie cohérente de la *création* sans situer les hommes à l'égard des anges ni les anges à l'égard du Christ. Tout en les réduisant à une pure fonction, Barth, au moins, en a parlé, *Dogmatique*, trad. fr., Labor et Fides, Genève, 1968, t. III, 3, 2, p. 82-249. Quant à Karl Rahner, s'il ne s'interroge à leur sujet qu'à propos de l'homme, il n'exclut pourtant pas leur rapport au monde matériel, celui-ci pouvant être, non certes la condition, mais le *repère symbolique de* leur existence : Théologie et anthropologie, dans *Écrits théologiques*, II, Paris, DDB, 1970, p. 194-196; art. « Angelologie » in *LThK*, p. 537. Sur le vieux principe « creatura omnis corporea », H. de LUBAC, *Surnaturel, Études historiques*, Paris, Aubier, 1956, p. 214-215. Ainsi, par-delà la pensée d'Augustin qui voyait dans la création des anges l'œuvre du premier jour *De Genesi ad litteram*, II, 8, laquelle commande l'idée d'un corps spirituel ou « éthéré » des anges, on peut choisir un autre point de départ pour comprendre la création. L'existence des anges, qui défie toute représentation, signifie au moins – ce qui est capital – que l'homme ne saurait se donner comme la seule forme possible d'existence spirituelle. Un espace leur demeure ouvert. Cependant « le premier-né de toute créature » n'étant pas pour Paul le monde angélique comme il l'est pour Augustin (*op. cit.*, IV, 24-25), ou pour Anselme (*Cur Deus homo*, I, 18); trad. fr. : *Pourquoi Dieu s'est fait homme?* coll. « Sources Chrétiennes », n° 91, Paris, Cerf, 1963, p. 288 ss., mais le Christ, c'est d'abord en fonction de l'homme et du Christ qu'il importe d'envisager la création.

compris le malheur auquel il la livrait en la privant d'une communion insondable avec Lui! Dans cette hypothèse, – que la Création dans le Christ exclut –, Dieu serait le responsable du mal de finitude qui ferait la détresse et de l'ange et de l'homme, mais, encore une fois, le mal de finitude n'est pas le péché, puisque le non-Dieu n'est pas coupable de ne pas être Dieu, ni coupable non plus de désirer le devenir [43].

L'AMOUR CRÉATEUR EST DANS LE CHRIST L'AMOUR DIVINISANT

Mais la création dans le Christ révèle précisément que l'amour créateur n'a pas pu en rester à cette différence par laquelle il lui fallait passer. Dieu créera donc un monde où notre identité de créature se verra confirmée par le chemin d'univers où nous devons passer pour pouvoir exister, cependant cette identité de créature ainsi conditionnée ne sera pour lui et donc aussi pour nous qu'une étape de l'amour qui nous crée. Puisque la création implique nécessairement un « temps » de finitude qui nous distancie et nous « sépare » de Dieu, et puisque aucune créature consciente ne peut ni *passer par soi-même* à ce Dieu, ni *se passer* de Lui sans se détruire, Dieu n'abandonnera pas le fini à pareille détresse. Il créera donc le fini non pour lui faire sentir la misère incurable de ne pas être Dieu, moins encore pour soulever en lui la colère de devoir à Dieu seul le fait d'être non-Dieu, mais pour une communion sans mesure avec l'Infini. Dans l'acte même de créer, Dieu lui-même franchit dans le Christ la distance qu'il établit de Lui à nous, en nous créant [44].

43. Plus haut, p. 30-31, p. 55.
44. Cette vision de la création, paulinienne d'inspiration, ne l'est pas nécessairement d'expression, c'est aussi la vision de Maxime le Confesseur que je cite plus bas et dont la pensée est exposée par J.-M. GARRIGUES, « Le Dessein d'adoption du Créateur dans son rapport au Fils d'après s. Maxime le Confesseur », in *Maximus Confessor, Actes du Symposium sur Maxime le Confesseur*, Fribourg, 2-5 septembre 1980, édités par Félix Heinzer et Christoph Schönborn, Fribourg Suisse, Éditions universitaires, 1982. De façon surprenante, ce bon connaisseur de Maxime ramène à Duns Scot l'interprétation christologique que

Seul responsable de l'existence du non-Dieu et de sa finitude, Dieu se fera donc fini, Lui l'Infini qui a créé la finitude, afin que le fini connaisse l'allégresse de l'Infini lui-même. Il deviendra non-Dieu pour que *devienne* Dieu celui qui ne peut *naître* tel [45]. Il se fera lui-même créature pour que le Créateur supprime ce qu'a d'insupportable pour cette créature la distance que crée la finitude entre nous-mêmes et Dieu. Or se faire **réellement** fini quand on est Infini, non-Dieu quand on est Dieu, créature quand on est Créateur, c'est aller au plus bas du fini, du non-Dieu, du créé; c'est se donner comme **incarné,** si du moins l'on remarque, avec saint Thomas, que Dieu dans son amour s'associe d'instinct avec l'extrême indigence [46]. Mais en touchant ainsi la finitude par sa moins sublime région, Dieu l'atteint tout entière. Paul a donc raison de dire que le Christ, pris dans la création par voie d'*humanité ressuscitée,* est cependant « le Premier-né **de toute créature** ». Par notre finitude humaine, il a touché tout le fini, existant et possible, connu ou encore à connaître; par le non-Dieu de l'homme, il a touché tout le non-Dieu du monde [47].

Urs von Balthasar donne à très juste titre du rapport établi par Maxime entre création, adoption et incarnation, *op. cit.,* p. 174-177. Cependant le résumé de la pensée de Scot qu'il emprunte au Père de Broglie et qu'il cite p. 182 montre à l'évidence que la vision de Maxime n'a rien à voir avec le « scotisme », soucieux seulement de la manière *dont Dieu est adoré* et non pas, comme Maxime, de la manière dont *nous sommes adoptés.* Quant à l'hégélianisme dont serait entachée la voie que j'ai suivie pour montrer que la création dans le Christ n'est pas du Scot, mais du saint Paul, j'ai pris soin de montrer qu'on pouvait et devait se déprendre de Hegel sur le point très précis qui m'est incriminé : « la confusion entre finitude créée et péché de la créature », *op. cit.,* p. 176. J'ai récusé formellement cette identification et son expression hégélienne dès 1958, dans la *Nouvelle revue théologique,* tome LXXVIII, p. 1042-1066 à propos de *La Dialectique des Exercices* du Père Fessard (voir surtout p. 1050-1052). Sur la critique qu'exige la christologie hégélienne, je suis revenu très clairement dans *Deux mille ans d'Église en question,* Paris, Cerf, 1984, p. 24-32. Enfin, si Teilhard parle de la création dans le Christ, cela ne saurait suffire à transformer une donnée scripturaire évidente en « teilhardisme » dédaignable. La vision de la création dans le Christ est paulinienne et ne relève d'aucune « école » particulière. J'insiste sur ce point, tant il est important qu'on sorte, sur une affirmation aussi centrale, des perspectives de « système », thomiste ou scotiste, et qu'on regarde en face l'enjeu que ce point du Message représente pour l'évangélisation de notre temps.

45. Sur ce point Irénée cité plus haut, p. 79-80.

46. *Somme théologique,* I, 20, 4 ad 2.

47. Nous n'évoquons pas ici la pluralité des mondes habités. C'est à l'investigation scientifique à chercher ce qu'il en est. Mais tout ce qui existe dans le

Dieu donc dans son incarnation, comme on l'a dit de façon magnifique « transcende sa propre transcendance [48] » au nom de l'amour qui le définit tout entier; il arrache le fini à la détresse tôt ou tard scandaleuse de se voir à l'égard de Dieu, non seulement autre mais étranger; il montre par là que la création dans l'amour ne va pas pour Lui sans qu'il se fasse librement créature. C'est à cette condition, semble-t-il, qu'il peut supporter de créer. L'incarnation fait partie intégrante de l'acte créateur, dans la mesure où, la création n'aboutissant de soi qu'à l'inégalité avec la créature, le Dieu de Jésus Christ ne consent à créer qu'en incluant dans l'acte créateur lui-même, décidé dans le Christ, la grâce d'une communion absolue avec Lui. De ce fait la nuptialité de l'Alliance commande dans le Christ la possibilité de la création elle-même par Dieu. Le Christ entre donc dans cette création à titre de **Principe.** Il est celui sans qui rien d'elle ne pourrait apparaître. Sans doute, c'est parce que Dieu décide de créer que se pose la question que seule l'existence du Christ résout. En ce sens l'existence du Christ suppose évidemment le projet créateur [49]. Mais ce projet ne paraît vraiment pensable qu'à condition que le Christ en soit « le Premier-né », la raison d'être qui entraîne et commande l'apparition de tout l'ensemble prodigieux du créé. Sans doute encore, faudra-t-il attendre longuement pour voir surgir, dans l'histoire cosmique, humaine et angélique, Celui qui rend possible l'immense déploiement de cette création. Mais le jour viendra où la Résurrection, abolissant pour notre finitude humaine la mort qui signifie notre distance native avec Dieu, révélera aussi à la Création tout entière, angélique comprise, la Communion réciproque et totale que Dieu donne depuis toujours au non-Dieu des sujets en la Personne de son Fils incarné. Alors apparaîtra pour les anges et les hommes le Visage divinement resplendis-

---

fini est compris sous la domination du « Premier-né de *toute* créature ». La relativité elle-même ne modifie pas substantiellement les choses, puisqu'elle est une modalité temporelle du fini, si « infini » ou « indéfini » qu'on puisse le penser.

48. P. EVDOKIMOV, *Le Christ dans la pensée russe,* Paris, Cerf, 1970, p. 155.

49. C'est une des faiblesses de la pensée scotiste de sembler l'oublier en déduisant l'existence du monde à partir du Christ. La primauté du Christ est incontestable, mais dans la présupposition que Dieu crée. Même si l'on dit que Dieu crée pour se donner le Christ, il faut encore supposer qu'il crée.

sant dont Dieu depuis toujours a décidé d'illuminer la finitude du non-Dieu. « Celui qui se trouve initié au mystère de la Résurrection apprend la fin pour laquelle Dieu a créé toutes les choses au commencement », écrit Maxime le Confesseur [50]; et Rupert de Deutz, réfléchissant sur le mystère du « Créateur de l'univers », déclare : « Il faut dire de manière religieuse et écouter avec respect que c'est à cause du Fils de l'homme, qui devait être comblé de gloire, que Dieu a *tout* créé [51]. »

Le voit-on clairement? Dans l'ordre des décrets divins, comme disait le Moyen Age pour essayer d'évoquer l'indicible, la rédemption n'est pas première. Elle répond à la douleur de Dieu devant le mal que se fait l'homme en refusant les dons de son amour. Mais la réponse à la misère du péché, qui fait du Christ le rédempteur, ne vient qu'après la réponse que Dieu se donne à lui-même et donc à nous aussi, au malheur que serait pour nous et donc aussi pour Lui, le fait de créer du non-Dieu personnel sans lui offrir de le diviniser. Le Christ « Premier-né de toute créature » met donc depuis toujours et à jamais un terme au scandale de tout non-Dieu, même angélique, devant la découverte paradoxale de sa propre existence finie. On peut comprendre qu'une telle profondeur, évidente d'après le Nouveau Testament saisi dans l'héritage spirituel de l'Ancien, ait pu **scolairement** passer souvent inaperçue, tant que le péché originel semblait suffire à tout pour expliquer la souffrance du monde. Mais du jour où l'on a découvert que la souffrance et que la mort de l'Homme s'enracinaient dans sa finitude et non dans son péché, naquit une question terrible, qui demeure sans réponse tant qu'on ne repense pas l'ordre de la création dans le mystère du Christ et pas seulement du Verbe [52].

---

50. († 662) *Centuries*, I, 66 (PG 90, 1108, ab).

51. († 1130) *Commentaires sur saint Matthieu*, L, 13 (PL 168, 1624). J'ai souligné dans les deux citations le *tout* qui souligne encore l'origine paulinienne de cette audace christologique, parfaitement traditionnelle en profondeur, mais trop souvent négligée.

52. Quelle que soit la fréquence du thème du Verbe chez saint Augustin, dans le *De Genesi ad litteram,* et chez saint Thomas dans la *Prima Pars,* elle ne suffit pas à répondre au scandale du mal. Parler du rôle du Verbe dans la création revient à dire en effet que Dieu crée à partir de son *intelligence* sans dire comment l'Intelligence ou la Sagesse de Dieu dans sa création résout partiellement pour nous l'énigme de la douleur et de la mort de finitude. On aura compris en effet qu'il n'est pas question en ce cas de la création *dans le*

Une triple remarque pour finir. La première concerne ce qu'on pourrait appeler une fausse humilité théologique. Pour sauvegarder la liberté divine à notre égard, qui est évidemment totale, on risque de minimiser l'importance du Christ dans le projet de Dieu, alors que le Nouveau Testament, inséparable de l'Ancien, supprime en fait toute possibilité de comprendre vraiment la création en dehors du mystère de Jésus. Il faut donc nous dépouiller ici d'un faux semblant d'humilité pour ne pas ériger en norme de pensée ce qui compromettrait la profondeur christologique de la Révélation. C'est au prix d'une parfaite obéissance à cette Révélation nous disant qu'en Jésus-Christ « tout tient », et d'abord la vision de Dieu (et de nous-mêmes), que nous retrouverons, par le Christ et en lui, un sens vraiment **théologal,** sans lequel le « renouveau » de l'anthropologie sera pour les chrétiens une forme nouvelle de sécularisation, sinon tout à fait d'athéisme. La seconde remarque porte sur l'existentialité historique de Jésus. Toute vision christologique de la création, fondée sur le fait que le Ressuscité est « le Premier-né de toute créature », doit inclure la possibilité de vivre partout d'un tel Christ, dans nos campagnes et nos villes. Il faut pour cela ne pas oublier que tant de profondeurs pauliniennes ne dispensent jamais des profondeurs évangéliques plus insondables encore. En elles Jésus nous apparaît comme la Forme permanente que l'homme de nos jours peut et doit revêtir au cœur même du monde à la lumière vivifiante de Dieu. Enfin, l'importance de la rédemption est si grande dans le témoignage scripturaire lui-même et la vie de l'Église qu'il faut essayer de dire encore une fois comment la vision de la création dans le Christ ne masque en rien la rédemption que nous trouvons en Lui. Le texte de la Première de Pierre nous convie à suggérer une telle synthèse, qui nous servira ici d'épilogue.

Christ, mais seulement dans le Verbe, dont on ne saurait dire, indépendamment de l'incarnation sur laquelle on se tait dans ce cas, qu'il devient « Premier-né de toute créature ».

5

« L'agneau prédestiné avant la fondation du monde »

« Si vous invoquez comme Père celui qui sans partialité juge chacun selon ses œuvres, écrit l'apôtre Pierre à ses destinataires, conduisez-vous avec crainte durant le temps de votre séjour sur la terre, sachant que ce n'est point par des choses périssables, argent ou or, que vous avez été rachetés de la vaine manière héritée de vos pères, mais par le sang précieux, comme d'un agneau sans défaut et sans tache, celui du Christ, *prédestiné avant la fondation du monde* et manifesté à la fin des temps à cause de vous » (1 P 1, 18-21). « L'agneau dont parle ici la *Prima Petri* est évidemment un agneau qui n'a d'identité que dans son rapport au Christ, celui qui en définitive est le Christ lui-même : l'agneau pascal de l'Exode [1]. Il est au centre de la liturgie glorieuse que nous décrit l'Apocalypse. Notre épître le suggère aussi en ajoutant aussitôt : « Par lui vous croyez en Dieu qui l'*a ressuscité des morts et lui a donné la gloire,* de telle sorte que votre foi et votre espérance reposent en Dieu » (1,21). Le mystère de l'Agneau exprime et justifie le caractère théologal de l'existence chrétienne; celle-ci relie l'origine divine du monde à la gloire finale espérée, à travers un « salut » qui se révélant dans le temps plonge ses racines *« dès avant la création du monde »,* lorsque l'Agneau y fut « prédestiné » [2].

---

1. E.G. SELWYN, *The First Epistle of sanct Peter,* Londres, Macmillan, 1947, p. 145-146.
2. Ainsi Horst BALZ et Wolfang SCHRAGE, « Die katholischen Briefe », in *Das neue testament Deutsche* n° 10, Göttingen, 1973, p. 77.

Nul doute que *Pierre* parle du « monde » au sens biblique du mot, c'est-à-dire de la création tout entière; nul doute aussi que « *la préposition* pro *(avant) ramène la pensée à un moment antérieur à la création, qu'elle l'introduit dans la sphère du transcendant au sens de* Jean 17,24 et d'Éphésiens 1,4 [3] ». Pour la première *Épître de Pierre*, Dieu n'a donc mis la main à l'œuvre créatrice qu'en ayant sous les yeux, si l'on peut ainsi dire, le mystère de l'Agneau immolé. De même que Paul affirme que le Christ est « le Premier-né de toute créature », ainsi la *première de Pierre* déclare que la considération de l'Agneau immolé commande, pour Celui qu'elle appelle « le Père », la création du monde. L'Agneau transpercé, dont saint Jean nous révèle qu'il « sera vu » des hommes, Dieu lui-même l'a donc « vu d'avance » et a jeté les fondements du monde *en fonction de lui*. Mais en quoi cette « vue » de l'Agneau peut-elle conditionner le geste créateur de Dieu? Sur ce point, les meilleurs commentaires restent à peu près muets, alors que l'Écriture invite à ne pas l'être. Que nous suggère-t-elle?

PÉCHÉ DU MONDE ET MYSTÈRE DE L'AGNEAU

Se fixant sur l'Agneau qui nous sauve, ce « regard » de Dieu, antérieur au fait de créer, concerne évidemment *le mystère du péché*. Ne demandons pas pour l'instant si ce « regard », portant sur le salut et donc le péché, est *absolument* premier ou si l'incarnation qui adopte les hommes en les divinisant n'est pas plus radicale encore. Regardons ce que ce mot de la *Prima Petri* est *seule* à exprimer : à savoir que le péché fait si profondément partie de ce monde créé, que seul le « regard » qui prévoit le mystère de l'Agneau permet à Dieu la création d'un tel monde.

Toute idée d'une vengeance anticipée et comme savourée d'avance est évidemment à exclure. Le Dieu dont

---

3. SELWYN, *op. cit.*, p. 146. En Jn 17,24, Jésus dit : « Car tu m'as aimé avant la fondation du monde. » Eph. 1,4 affirme aussi de Dieu qu'« Il nous a choisis en lui avant la fondation du monde ».

l'Écriture nous parle est celui qu'elle nous fait invoquer
« comme Père » (1,17). Si donc le « regard » sur l'Agneau
immolé conditionne le dessein créateur, c'est évidemment
dans l'amour et dans l'amour *seul* que cette anticipation
pré-créatrice a lieu. Sans doute ce « regard » porte-t-il sur
notre rédemption par le sang, mais dans le Nouveau
Testament le sang « répandu » dit l'amour et non pas la
vengeance [4].

« Dieu a tellement aimé le monde, nous dit s. Jean en
3,16, qu'il a donné son Fils unique pour que le monde
soit sauvé. » L'amour ainsi manifesté dans l'histoire, la
Première de Pierre le découvre existant *dès avant la
fondation du monde.* Pour lui la Croix du Christ, le mystère
de l'Agneau n'est pas seulement inclus dans le cours
empirique du temps, il en domine l'existence puisque la
prévision de l'Agneau anticipe et commande l'acte créateur
en lui-même. D'où la question inévitable : en quoi le
mystère du péché concerne-t-il à ce point Dieu lui-même
que seul le « regard » sur l'Agneau immolé peut déclencher
en Dieu la décision suprême de créer ?

LES PROFONDEURS TRINITAIRES DE LA CROIX

Nous le regardons nous aussi cet Agneau, ou tout au
moins nous devrions le faire pour comprendre l'Amour
manifesté de Dieu. C'est lui en effet que saint Jean nous
révèle comme l'accomplissement de Zacharie prophéti-
sant : « Ils verront celui qu'ils ont transpercé [5]. » Dans la
confusion d'amour s'imposant aux pécheurs que nous
sommes devant la croix du Christ, notre regard rejoint
celui de Dieu ou plus encore il est guidé par lui : il peut

---

4. Plus bas, p. 160, note 8.
5. Jn 19,37 qui renvoie à Za 12,10. Pour une meilleure compréhension
exégétique de cette prophétie Paul LAMARCHE, *Zacharie IX-XIV, Structure
littéraire et messianisme,* Études Bibliques, Paris, Gabalda, p. 124-147, et dans
Communio (1980) 1, p. 22-26, où ce dernier chapitre a paru alors en article. Sur
la symbolique de l'Agneau voir aussi Élisabeth BEHR-SIGEL, *Alexandre Boukharev
(1871), un théologien de l'Église orthodoxe russe en dialogue avec le monde moderne,*
Paris, Beauchesne, 1978, p. 135-139.

découvrir de la sorte des profondeurs divines autrement dérobées.

Le coup meurtrier que Zacharie contemple et prophétise est à la fois réel et symbolique. Il en résume une infinité d'autres dont le Peuple, annonce Zacharie, pourra se repentir et dont il se verra pardonné. Le coup qui touche Dieu lui-même en transperçant le Christ est donc à voir comme un *condensé prophétique de l'injustice des coupables et des douleurs de la victime.* Seule l'image d'une brebis conduite à l'abattoir peut en symboliser, par-delà tous nos langages humains, la triste plénitude.

Dans la réalité, cette victime ainsi prophétisée, c'est le Fils lui-même incarné; c'est lui qui accomplit toute figure : non seulement il souffre autant qu'il est prophétisé qu'il le fera, mais sa souffrance est souffrance de Dieu. Aux yeux de Zacharie, à travers l'Envoyé, c'est Dieu lui-même qui est touché, car l'Envoyé, que transperce et que verra le Peuple, c'est le Fils inséparable de son Père et donc Dieu lui-même. Dès lors *les coups qui atteignent le Fils atteignent aussi le Père.* Comment le Père, dont nous découvrons le visage dans celui de Jésus, deviendrait-il subitement inaccessible dans le Fils lorsque nous le frappons [6]? Par ailleurs Jésus le dit formellement : « Le Père est *toujours* avec moi, il ne me laisse *jamais* seul » (Jn 16,32). Jésus nous parle ainsi avant son agonie. Dès lors, en atteignant Jésus par les coups meurtriers au cours de la Passion et par le transpercement final de la Croix, on frappe et transperce à coup sûr le Fils, mais, dans le Fils et par lui, on s'en prend également au Père, car les deux ne font qu'« un » (Jn 10,30). De même « contriste »-t-on ainsi mortellement l'Esprit (*Ep* 4,30), puisqu'il est le lien de leur commun amour. C'est pourquoi, dans la Passion et dans la mort du Christ, les assises du monde se trouvent ébranlées, obscurcie la lumière du jour et déchiré le voile du Temple, mettant ainsi à nu le Saint des Saints lui-même (Mt 27,51), « comme » la mort du Fils le fait à sa manière pour Dieu.

Certes le Fils *seul (unus!)* est engagé *par son humanité* dans le gouffre mortel et meurtrier de la Croix, selon

---

6. « *Pourquoi, du moment que Jésus meurt, cesserai-je de l'entendre me dire : " Qui m'a vu a vu le Père "?* », VARILLON, *op. cit.*, p. 117.

l'antique adage *unus de Trinitate passus est.* *Tout* étant cependant commun au niveau de l'amour entre les trois Personnes, comment la douleur du Fils, à travers le mystère de l'Esprit qui les rapporte l'un à l'autre, à la Croix comme partout ailleurs (He 9,14), ne serait-elle pas *aussi* la douleur du Père ? La Passion et la mort de l'Agneau sont sans doute mort et passion du Fils dans la chair, mais, *par communication des idiomes au sein de la Trinité* même, la Croix, *propre* à la chair du Fils, est *partagée* cependant par le Père dans la *communion* de l'Esprit. « Tout ce qui est à moi est à toi, comme tout ce qui est à toi est à moi » a dit Jésus au Père dans sa prière sacerdotale (Jn 17,10). Ainsi s'éclaire pour nous un point laissé jusqu'alors dans l'ombre.

« Le Premier-né de toute créature » et « l'Agneau prédestiné avant la création du monde »

A s'en tenir aux apparences, on parlerait d'opposition entre le titre paulinien qui semble ne pas tenir compte du péché et celui de la *Prima Petri* qui n'envisagerait que lui. En fait, ils sont complémentaires. La création dans le Christ, qui fait du Fils en notre chair « le Premier-né de toute créature », représente, nous le savons déjà, *la manière dont Dieu divinise le créé en respectant sa finitude.* Elle est sans doute la seule vraie réponse au scandale du mal, en tant que le mal dépend de notre finitude [7]. L'Agneau immolé révèle un autre aspect des profondeurs créatrices de Dieu, à savoir *la raison pour laquelle le Père se décide à créer notre monde en dépit du péché.* Rapportés l'un à l'autre ces deux aspects d'un unique mystère nous permettent de dire : *le Père qui nous crée dans le Christ ne nous déifie vraiment qu'à condition d'abord de nous sauver.* Ce *conditionnement rédempteur de notre finitude adoptive* est aussi éternel que *le dessein divinisant qui, expliquant la création, ne saurait s'accomplir sans un tel salut.*

Si le péché, c'est notre finitude se détournant de Dieu, notre salut, c'est Dieu qui jamais ne se détournera de nous. Tout au contraire, moins Dieu se voit aimé, plus il

---

7. Plus haut, p. 41-43. Voir aussi notre *Vivre aujourd'hui la foi de toujours,* Paris, Cerf, 1977, chap. I.

aime et plus il *aimera* un monde qui pourrait s'installer dans la faute. C'est chose décidée *d'avance.* Avant que le monde commence d'exister, le Père a décidé d'aimer ce monde plus que lui, c'est-à-dire plus que son Fils même. Il nous le « livrera » pour que nous apprenions ainsi que l'amour le plus dépossédé de soi, le plus « dessaisi de lui-même » (Jn 15,13), est, de la part de Dieu, *le seul secret qui explique l'existence du monde et notre élection de toujours dans le mystère du Christ.* Ainsi pourrons-nous accomplir notre Pâque vers Celui qui, dans la chair immolée de son Fils, « passe » à ce point vers nous.

LA SYMBOLIQUE DE L'AGNEAU ET LE BLASON DE DIEU

L'Agneau immolé que le Père « regarde » dès avant la création du monde, n'est donc pas la « rançon » du péché au sens vindicatif et odieux que l'on donne parfois à ce mot [8]; il en est au contraire la radicale abolition. Il signifie que notre création repose tout entière en Dieu sur une oblation sans réserve de soi qui doit engendrer sa réciproque en nous. L'Agneau symbolise à la fois le don *accompli* de par Dieu et le don qui *mérite* que nous nous donnions en retour. L'Agneau « prédestiné dès avant la création du monde » représente l'amour éternel de Dieu pour le monde et le poids de douleurs que ce monde lui coûte; il ne dit pas d'abord la condition posée par Dieu pour que Dieu puisse un jour nous aimer, mais le prix qu'il paye lui-même afin que nous l'aimions. L'emblème de l'Agneau n'exprime pas d'abord ce que peut *nous* coûter

---

8. L'idée traîne encore en beaucoup de consciences, sinon que « Dieu » aurait besoin de sang pour « s'apaiser », du moins que la souffrance nous serait par « lui » imposée en vertu d'une loi injustifiable et pourtant absolue. Tel serait le « mystère » de « Dieu » ! Cette idée « kafkaïenne », l'évangélisation doit sans cesse l'abolir et ne jamais supposer qu'elle y a pleinement réussi. Les grandes douleurs la font presque toujours renaître. Or Dieu ne peut être réellement *reconnu* qu'au-delà du fond mythique que la douleur d'innocence, inexpliquée et pourtant dominante, a entassé dans la conscience historique des hommes. Le christianisme sera le dépassement *justifié* de toute image vindicative de Dieu ou il devra céder le pas à une forme d'athéisme où l'homme aura pour le moins le mérite d'être meilleur que cet être sans cœur qu'on oserait encore appeler « Dieu ».

notre Pâque vers Dieu, mais ce par quoi *Dieu décide de passer* pour venir jusqu'à nous.

Le blason symbolique de l'amour de Dieu, anticipant la naissance du monde, se ramène à un Agneau blessé! Dieu dans son Fils aura par nos soins de pécheurs le traitement d'un animal d'abattoir. Se désarmant lui le premier comme Seigneur, il nous désarmera aussi comme pécheurs; renversant de la sorte les fausses évidences du péché il refera nos cœurs à la mesure de Dieu [9], car, tout en relevant de la torture pour ce qui vient des hommes, il entrera dans l'immolation de soi-même pour ce qui vient de Lui. « Passage » et plus encore « venue » de Dieu dans un monde qui ignore que « Dieu est amour », « l'Agneau » rendra possible l'éveil salvifique des hommes à Celui qu'ils combattent.

Tout s'unifie et tout s'éclaire à la lumière d'un tel amour : non seulement les textes qui nous l'annoncent dans cette symbolique si souvent décriée de l'Agneau, mais encore et surtout les profondeurs créatrices de Dieu. En créant, *Dieu assume par son incarnation les douleurs qu'implique la condition de finitude,* mais, plus profondément encore, *Dieu se livre tout entier à la douleur sans fond que lui vaut le péché de cette finitude.* Nos libertés rebelles ne seront en effet convaincues – telle est l'espérance de Dieu! – que l'Amour seul préside à leur surgissement, que si Dieu lui-même s'immole pour nous à travers son Fils. C'est pourquoi *l'Agneau, prédestiné avant la création du monde* et vers lequel le Père pour créer tient le regard fixé, est le signe *éternel* qui commande et le monde et l'histoire. Il révèle que Dieu accepte de devenir, en tant que Créateur, la victime de son œuvre créée et que jamais il ne nous en voudra du chemin qu'il doit prendre pour se manifester aux pécheurs que nous sommes quand nous doutons de lui. Ainsi le symbole de l'Agneau transpercé n'est le révélateur de nos iniquités qu'en révélant d'abord l'Amour qui les oublie et qui les lave. Le symbole de l'Agneau a donc tout d'abord un sens pour Dieu lui-

---

9. Ce qui est bien vu par René GIRARD, *Des choses cachées depuis la fondation du monde*, Paris, Grasset, 1978, p. 146-247, avec un juste refus de l'idée de « bouc émissaire » pour comprendre le Christ, mais sans que soit vraiment intégré le symbole de l'Agneau ni son sens, radicalisé à la profondeur qu'exige l'Écriture.

même. Avant de nous montrer à livre ouvert l'amour que nous devons à Celui qui nous aime à ce point, Dieu montre et « voit » lui-même, dans l'Agneau ainsi prédestiné, l'abîme dans lequel en créant il entend s'engager pour nous et avec nous et l'amour qu'il nous porte.

Parvenus à cette profondeur où Dieu qui n'est plus l'accusé ne devient pas pourtant l'accusateur, peut-être serons-nous délivrés, devant le mal, la souffrance, le péché et la mort, d'un scandale qui nous paraît et qui est, en dehors du mystère du Christ spirituellement compris, insurmontable. Peut-être consentirons-nous aussi, un jour, à un amour qui nous paraît ainsi moins impossible sinon toujours aisé.

TABLE DES MATIÈRES

Deuxième partie
PRÉHISTOIRE

Théologies

APOLOGIQUE

Apologique vient du mot « apologie » qui signifie « défense, réponse, justification », en un mot plaidoirie dans un procès.

Par-delà les excès de l'apologétique, cette collection veut redonner à la théologie sa verve primitive, le dynamisme de la plaidoirie, où chaque partie marque clairement les enjeux, afin que les discussions autour de la foi ne deviennent pas étrangères au sens « commun ».

Association des catéchistes allemands : *Manuel de la foi*
F. Chavanes : *Albert Camus. « Il faut vivre maintenant »*
F. Dreyfus : *Jésus savait-il qu'il était Dieu ?*
P. Grelot : *Évangiles et tradition apostolique*
P. Grelot : *L'Origine des Évangiles. Controverses avec J. Carmignac*
P. Grelot : *Les Ministères dans le peuple de Dieu*
P. Grelot : *Réponse à Eugen Drewermann*
G. Gutiérrez : *La Libération par la foi. Boire à son propre puits.*
Y. Ledure : *Lectures « chrétiennes » de Nietzsche*
B. de Margerie : *Liberté religieuse et règne du Christ*
M. Novak : *Une éthique économique. Les valeurs de l'économie de marché*
O. Rabut : *Peut-on moderniser le christianisme ?*
J. Rollet : *Le Cardinal Ratzinger et la Théologie contemporaine*
E. Schillebeeckx : *La Politique n'est pas tout*
F. Varone : *Ce Dieu absent qui fait problème*
F. Varone : *Ce Dieu censé aimer la souffrance*
F. Varone : *Ce Dieu Juge qui nous attend*

THÉOLOGIES

AETC : *Cultures et théologies en Europe*
Alberigo (éd.) : *La Chrétienté en débat*
C. Andronikof : *Le Sens de la liturgie*
E. Behr-Sigel : *Le Ministère de la femme dans l'Église*
E. Behr-Sigel : *Le Lieu du cœur*
R. Béraudy : *Sacrifice et eucharistie*
Ch. A. Bernard : *Théologie spirituelle*
Ch. A. Bernard : *Le Dieu des mystiques*
I. Berten : *Christ pour les pauvres. Dieu à la marge de l'histoire*
B. Bobrinskoy : *Le Mystère de la Trinité*
F. Bœspflug et Y. Labbé : *Assise dix ans après, 1986-1996.*
L. Boff : *François d'Assise. Force et tendresse*
L. Boff : *Je vous salue, Marie. L'Esprit et le féminin*
L. Boff : *Le Notre Père. Une prière de libération intégrale*
M.-É. Boismard : *Faut-il encore parler de résurrection ?*
M.-É. Boismard : *Jésus, un homme de Nazareth*
H. Bourgeois : *Théologie catéchuménale*
L. Bouyer : *Gnôsis. La connaissance de Dieu dans l'Écriture*
L. Bouyer : *Sophia ou le Monde en Dieu*

C. **Braaten** : *La Théologie luthérienne*

J. **Breck** : *La Puissance de la Parole. Une introduction à l'herméneutique orthodoxe*

J. **Bur** : *Le Péché originel. Ce que l'Église a vraiment dit*

J. **Bur** : *La Spiritualité des prêtres. Une retraite doctrinale et pastorale*

R. **Cantalamessa** : *La Vie dans la seigneurie du Christ*

G. **Casalis** : *Les Idées justes ne tombent pas du ciel*

O. **Celier** : *Le Signe du linceul*

D. **Cerbelaud** : *Écouter Israël. Une théologie chrétienne en dialogue*

Fr. **Chavanes** : *Albert Camus. Un message d'espoir.*

M. -D. **Chenu et al.** : *Une école de théologie : le Saulchoir*

Collectif : *Théologies de la libération. Documents et débats*

Collectif : *L'Hommage différé au père Chenu*

Collectif : *La Nouvelle Europe. Défi à l'Église et à la théologie* (Direct. P. Hünermann)

Y. **Congar** : *Je crois en l'Esprit Saint*

Y. **Congar** : *Entretiens d'automne*

M. **Corbin** : *La Trinité ou l'Excès de Dieu*

Y. **Corbon** : *Liturgie de source*

O. **Cullmann** : *L'Unité par la diversité*

O. **Cullmann** : *La Nativité et l'Arbre de Noël*

S. **De Baecque** : *Vatican II, une espérance neuve. Un précurseur et témoin, le Père Eugène Joly.*

M. **Deneken** : *La Foi pascale.*

M. **Dujarier** : *L'Église-Fraternité*

C. **Duquoc** : *Dieu différent*

C. **Duquoc** : *Jésus homme libre*

C. **Duquoc** : *Des Églises provisoires*

A. **Durand** : *La Cause des pauvres*

F. -X. **Durrwell** : *L'Eucharistie sacrement pascal*

F. -X. **Durrwell** : *L'Esprit saint de Dieu*

F. -X. **Durrwell** : *Le Père. Dieu en son mystère*

J. **Elluin** : *Quel enfer ?*

M. **Fédou** : *Les religions selon la foi chrétienne*

R. **Gibellini** : *Panorama de la théologie du XXᵉ siècle.* Traduction de l'italien par Jacques Mignon.

D. **Gonnet** : *Dieu aussi connaît la souffrance*

A. **Gounelle et F. Vouga** : *Après la mort, qu'y a-t-il ?*

P. **Grelot** : *Église et ministères*

P. **Grelot** : *La Tradition apostolique. Règle de foi et de vie pour l'Église*

G. **Gutiérrez** : *Le Dieu de la vie*

G. **Gutiérrez** : *Job. Parler de Dieu à partir de la souffrance de l'innocent*

G. **Gutiérrez** : *Dieu ou l'Or des Incas*

J. -P. **Jossua** : *Lectures en écho. Journal théologique I*

J. -P. **Jossua** : *L'Écoute et l'Attente. Journal théologique II*

J. -P. **Jossua** : *La Condition du témoin*

J. -P. **Jossua** : *La Beauté et la Bonté*

H. **Küng** : *Garder espoir*

G. **Lafon** : *Croire, espérer, aimer*

Gh. **Lafont** : *Imaginer l'Église catholique*

B. **Lang** : *Drewermann interprète de la Bible*

J. -C. **Larchet** : *Théologie de la maladie*

J. -C. **Larchet** : *Thérapeutique des maladies mentales*

J. -C. Larchet : *Thérapeutique des maladies spirituelles*
N. Leites : *Le Meurtre de Jésus, moyen de salut*
G. Lohfink : *L'Église que voulait Jésus*
H. de Lubac : *Entretien autour de Vatican II*
A. Manaranche : *Le Monothéisme chrétien*
J. -P. Manigne : *Le Maître des signes. La poétique de la foi*
J. -P. Manigne : *Les Figures du temps*
J. -P. Manigne : *L'Église en vue*
G. Martelet : *Libre réponse à un scandale*
J. Meyendorff : *Unité de l'Empire et divisions des chrétiens. L'Église de 450 à 680.*
J. et E. Moltmann : *Dieu, homme et femme*
P. Nellas : *Le Vivant divinisé*
A. Nollan : *Dieu en Afrique du Sud*
M. de Paillerets : *Saint Thomas d'Aquin, frère prêcheur théologien*
L. Panier : *Le Péché originel*
W. Pannenberg : *La Foi des Apôtres. Commentaire du Credo*
H. Paprocki : *La Promesse du Père. L'expérience du Saint Esprit dans l'Église orthodoxe*
R. Parent : *Une Église de baptisés. Pour surmonter l'opposition clercs-laïcs*
R. Parent : *Prêtres et évêques. Le service de la présidence ecclésiale*
J. -P. Prevost : *La Mère de Jésus*
K. Rahner : *Le Courage du théologien*
B. Rey : *Jésus-Christ chemin de notre foi*
B. Rey : *Nous prêchons un Messie crucifié*
J. Rigal : *L'Église, obstacle et chemin vers Dieu*
J. Rigal : *Le Courage de la mission*
J. Rigal : *Préparer l'avenir de l'Église*
J. Rigal : *L'Église en chantier*
E. Schillebeeckx : *Expérience humaine et foi en Jésus-Christ*
E. Schillebeeckx : *Le Ministère dans l'Église*
E. Schillebeeckx : *Plaidoyer pour le peuple de Dieu*
C. von Schönborn : *L'Icône du Christ*
P. Secretan : *Les Tentations du Christ*
J. L. Segundo : *Quel homme, quel monde, quel Dieu ?*
B. Sesboüé : *Pédagogie du Christ*
H. Simon : *Chrétiens dans l'État moderne*
H. Simon : *La Peau de l'âme*
M. Simon : *La Vie monastique, lieu œcuménique au cœur de l'Église-Communion*
W. Stählin : *Le Mystère de Dieu*
D. Stein : *Lectures psychanalytiques de la Bible*
R. Sublon : *La Lettre ou l'Esprit*
G. Tavard : *La Vision de la Trinité*
P. Ternant : *Le Christ est mort "pour tous"*
J. -M. -R. Tillard : *L'Évêque de Rome*
J. Van der Hoeden : *Samuel Beckett et la question de Dieu*
F. Varone : *Inouïes les voies de la miséricorde*
H. J. Venetz : *C'est ainsi que l'Église a commencé*
A. Vergote : *« Tu aimeras le Seigneur ton Dieu... ». L'identité chrétienne*
M. Viau : *La Nouvelle Théologie pratique*
K. Wojtyla : *La Foi selon saint Jean de la Croix*
Ch. Yannaras : *La Foi vivante de l'Église*

THÉOLOGIES BIBLIQUES

J. **Becker** : *Paul. L'apôtre des nations*
A. **Wénin** : *L'Homme biblique*
O. **Cullmann** : *La Prière dans le Nouveau Testament. Essai de réponse à des questions contemporaines*

*Cet ouvrage
a été composé
et achevé d'imprimer
en octobre 1997
par l'Imprimerie Floch
53100 – Mayenne.*

Dépôt légal initial : avril 1987.
Nouveau dépôt légal : octobre 1997.
N° d'imprimeur : 42344.
N° d'éditeur : 8133.
Imprimé en France.